Béatrice Gründler

Ohrenspitzer und Muntermacher

24 Lieder zum Singen, Bewegen, Spielen, Hören und Musizieren für 4- bis 9-jährige Kinder

HELBLING

Innsbruck · Esslingen · Bern-Belp

Vorwort

Hier kommen 24 frische Bewegungs- und Spiellieder für Kinder von vier bis neun Jahren. Sie öffnen die Ohren, muntern auf, lockern den Körper und unterstützen die Konzentration. Gemeinsames Singen, Bewegen und Musizieren trägt zu individuellem Wohlbefinden bei, ermöglicht neue und kreative Begegnungen mit anderen und begünstigt somit ein gutes Klassenklima. So bestätigen es die Forschung und bestimmt auch Ihre Erfahrung.

Zu jedem Lied finden sich Vorschläge für einen gelungenen Einstieg. Die methodischen Ideen zur Ausgestaltung und Differenzierung der Lieder sind in die vier Kompetenzbereiche Singen und Sprechen, Bewegen und Tanzen, Musizieren und Hören und Sich-Orientieren gegliedert. Diese sind an den zugehörigen Icons erkennbar. Im musikalischen Tun verbinden die Kinder die Kompetenzbereiche idealerweise miteinander und lernen so sich selbst, ihre Vorlieben und ihre Stärken kennen. Dabei begegnen sie einander und erfahren den Prozess wie auch die Wechselwirkungen vom Ich zum Du zum Wir auf vielseitige Weise.

Im Anhang finden sich hilfreiche Illustrationen als Kopiervorlagen zu Gestaltungselementen, die sich passend zu den jeweiligen Liedern anwenden lassen: Bodypercussion, Handfassungen, Sozialformen und Gangarten. Wenn die Kinder dieses Repertoire an Gestaltungsmöglichkeiten kennen, können sie daraus eine sinnvolle Auswahl treffen und eigene Ideen zur Erweiterung beisteuern.
Kopiervorlagen von Bildern zu einigen Liedern ergänzen das Angebot des Anhangs.

Zum Liederheft existiert eine Audio-CD mit allen Gesamtaufnahmen und zahlreichen Playbacks, die das Erarbeiten der Lieder mit den Kindern unterstützen. Die entsprechenden Trackangaben stehen jeweils direkt bei den Noten.

Nun wünsche ich viele beschwingte Momente mit Kindern, die sich munter bewegen, singen, musizieren und dabei ihre Ohren spitzen!

Béatrice Gründler

Erklärung Icons:

Erarbeitungstipps/ Einstimmung

Singen und Sprechen

Musizieren

Bewegen und Tanzen

Hören und Sich-Orientieren

Inhaltsverzeichnis

Bewegung und Tanz

Muntermacher 4
Wa-we-willst du? 6
Ohrenspitzer 8
Du und ich 10
Morgenhit 12
Das Spiel mit dem Hut 14
Fit-Hit 16
Eichhörnchentanz 18
Warm-up 20
Gib mir mal den Becher 22
So, wie du bist 24
Erratet ihr das Tier? 26

Geschichten und Sachthemen

Instrumentenlied 28
Trommelbommel 30
Rocky-Socky-Chor 32
Hokus pokus fidibus 34
Willkommen auf dem Schloss 36
Drei Raben 38

Alltag und besondere Momente

Einsteigen bitte! 40
Schluckauf, oh weh! 42
Mein Zimmer 44
Guten Appetit! 46
Am Strand im Sand 48
Wenn ein Lichtlein brennt 50

Anhang

Bodypercussion / Handfassungen (Kopiervorlagen) 52
Sozialformen / Gangarten (Kopiervorlagen) 53
Bilder zu den Liedern (Kopiervorlagen) 54
Liedtexte in Schweizer Mundart 56
Trackliste zu der Audio-CD 60

Muntermacher

Text und Musik: Béatrice Gründler

1/2

A-Teil

C | Dm
Wir spit - zen uns - re Oh - ren, die Ar - me stre - cken wir, wir

3 Em | F | G
schüt - teln uns - re Fin - ger: Das ge - fällt ja mir und dir! Wir

5 Am | Em | F | C
klat - schen und wir pat - schen und wir schnip - sen noch da - zu. Wir

7 Dm | G
dre - hen rund - he - rum und sin - gen „Schu - bi - du“! Schu - bi -

B-Teil

9 E | Am | Dm | G7 | C
du, schu - bi - du - bi - du - bi - du, schu - bi - du - bi - du - bi - du.

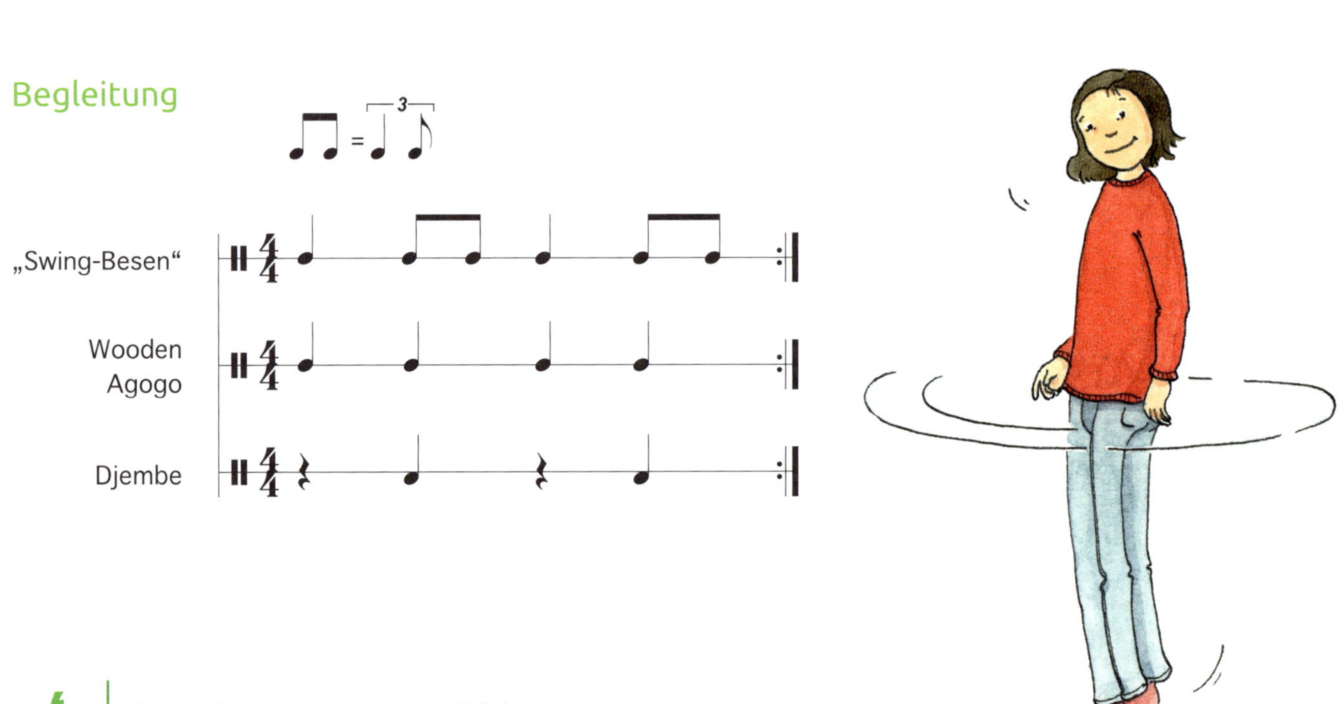

Einstimmung: Bewegungsspaziergang

> Bilder der im Lied besungenen Bewegungen liegen verteilt im Raum (siehe Bilder auf den Seiten 4, 5 und 52). Im Metrum von Viertelnoten gehen die Kinder zum Lied zwischen den Bildern umher und führen jeweils die Bewegungen aus, die sie darauf sehen.

> Die Lehrperson spricht den Text des A-Teils und führt die passenden Bewegungen dazu aus, während zwei Kinder die Skizzen der Reihenfolge entsprechend sortieren. Bei der Wiederholung sprechen und bewegen sich alle mit.

Liedgestaltung

> Die Klasse singt das Lied sehr langsam. Nach und nach wird das Tempo gesteigert. Die besungenen Bewegungen führen jeweils alle sogleich dazu aus.

> Der B-Teil bietet Raum für Ideen einzelner Kinder: Sie machen eine Bewegung vor und die Klasse imitiert diese.

> Die Lehrperson singt das Lied absichtlich mit falschen Textpassagen, beispielsweise „Wir strecken unsre Nase ...". Die Kinder korrigieren die Lehrperson fortlaufend und singen die Passage gemeinsam richtig. Dabei helfen ihnen die Bilder (siehe Seiten 4, 5 und 52).

> Ein Kind dreht bei weiteren Wiederholungen einzelne Bilder um und legt sie verdeckt hin. Die anderen versuchen sich den Ablauf nun ohne visuelle Unterstützung zu merken.
Das erneute Umdrehen der Bilder auf die Vorderseite bedeutet nun, dass diese Passagen nicht gesungen, sondern nur als Bewegung ausgeführt werden.

Begleitungen

> Die rhythmische Begleitung wird zuerst mit der Stimme imitiert (dm zack ...) und anschließend mit Bodypercussion gespielt (siehe Kopiervorlage, Seite 52):

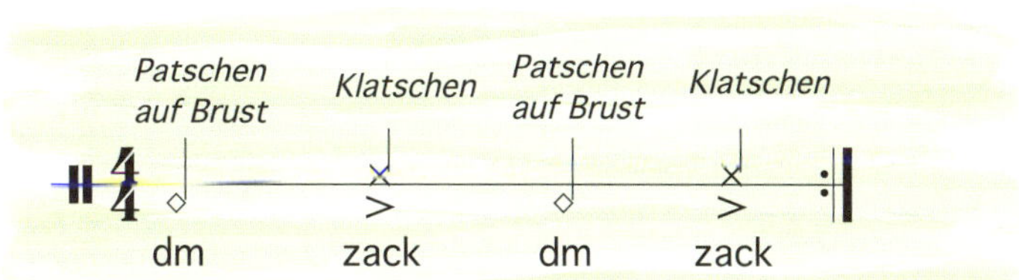

> Variante mit Instrumenten: siehe linke Seite.
„Swing-Besen" = Snare-Besen, Bürste.

Wa-we-willst du?

Text und Musik: Béatrice Gründler

Tanzspiel

Strophen

3/4

Refrain

* Kind A hat zwei halbe Noten (vier Viertelnoten) Zeit, den Namen eines zum Tanz aufgestandenen Kindes zu nennen.

Einstimmung: Willst du mit mir tanzen?

Die Kinder können einerseits andere zum Tanzen auffordern und andererseits eine Aufforderung annehmen oder ablehnen. Kind A steht vor Kind B. Auf die von allen gesungene Frage „Willst du mit mir tanzen?" und die Aufforderung „Sag's geradeaus!" antwortet Kind B mit einem gesprochenen „Ja" oder „Nein".
Bei einem „Ja" singt die Klasse in der zweiten Liedzeile die erste, bei einem „Nein" die zweite Strophe. Ist die Antwort „Nein", soll sich mindestens ein anderes Kind sofort mit hochgestrecktem Arm als Tanzpartnerin oder Tanzpartner anbieten. Somit sind beide Verläufe ein positives Erlebnis für beide Seiten und alle sind aufmerksam und beteiligt.

Tanz zum Refrain

Kreisformation mit Handhalten.

> Erste Zeile: Je 8 Schritte und Beistellschritte im Metrum von Viertelnoten nach rechts
  Zweite Zeile: wie oben, nach links
> Variante 1 – dazu verschiedene Handfassungen im Kreis ausprobieren:
  - Durchfassen: eine Hand halten
  - Arme einhaken
  - Eingehakte Finger
  - Fingerspitze an Fingerspitze
  - Kreuzfassung (Paartanz im Kreis)
> Variante 2 – Paartanz mit einem Gegenüber:
  - Arme bis Schulterhöhe strecken, Handinnenflächen gegeneinander
  - Arme auf Schultern (gegenüber oder nebeneinander)
  - Beide Hände halten

Illustrationen zu diesen Handfassungen sind als Kopiervorlage im Anhang (Seite 52) enthalten.

Ohrenspitzer

Text und Musik: Béatrice Gründler

5/6

Einstimmung: Massage für die Ohren

Das Lied „Ohrenspitzer" ist für Hörübungen geeignet und und weckt die Ohren. Wenn die Kinder diese massieren und daran zupfen, aktivieren sie damit automatisch die Akupressurpunkte.

Gesten zum Lied

Takte	Bewegungen
1–2	Ohren massieren und sie damit aktivieren
3–4	Schnipsen (siehe Noten)
5–6	Im Metrum von Viertelnoten an den Ohrläppchen zupfen
7–10	Mit den Händen an den Ohren große Ohrmuscheln formen und diese in alle Richtungen drehen
11–12	Jeweils mit Daumen und Zeigefinger die Ohren nach oben ziehen und damit die Ohren „spitzen"

Hörrätsel

Zwischen zwei Lieddurchgängen schließen die Kinder die Augen und achten bewusst auf Geräusche, Klänge und Töne, die ein zuvor bestimmtes Kind erzeugt.

- Bodypercussion: patschen, klatschen usw.; Mundperkussion: schnalzen, Explosivlaute p, t, k usw.
- Geräusche mit Alltagsgegenständen: Schultasche, Etui, Möbel, Raumelemente usw.
- Geräusche mit Perkussionsinstrumenten und Naturmaterialien

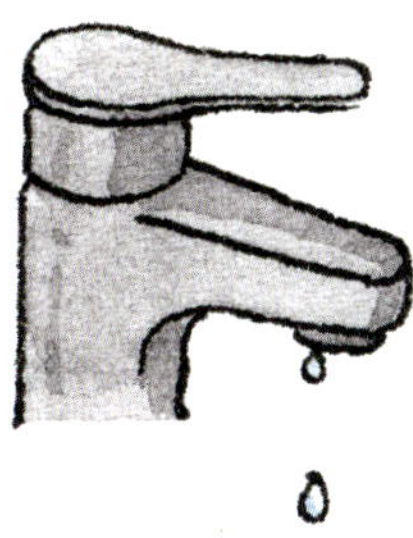

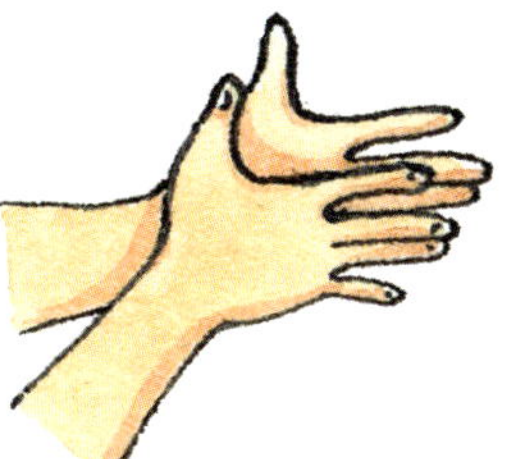

Du und ich
Text und Musik: Béatrice Gründler
© Helbling
7/8
Du und ich, wir ma - chen ei - ne klei - ne Rei - se.
Ich und du, wir ge - hen auf die - sel - be Wei - se.
Eins, zwei, drei, vier und dann Stopp!
Patsch, klatsch, rechts, links, hopp, hopp!
Rund - he - rum geht's, tra - la - la - la - la.
Und dann stehn wir wie ver - stei - nert da.
Nett war's mit dir, auf Wie - der - sehn. Nun
wol - len wir mit je - mand Neu - em wei - ter-gehn.

Einstimmung: Gangarten imitieren

- Auf dem Boden liegen die Bildkärtchen zu den Gangarten (Kopiervorlage Seite 53). Die Kinder gehen im Metrum zur Liedbegleitung (CD 8) im Raum umher und imitieren die abgebildeten Gangarten, wenn sie an einem Kärtchen vorbeikommen.
- Im nächsten Durchgang einigen sich jeweils zwei Kinder auf eine Gangart und führen diese parallel nebeneinander gehend aus.

Choreografie

Als Vorbereitung auf die folgende Choreografie gehen die Kinder wieder im Metrum zur Liedbegleitung (CD 8) im Raum umher. Wenn die Lehrperson die Musik unterbricht, führen sie jeweils eine zuvor vorgegebene Bewegung aus:

- Freeze (Position einfrieren)
- Drehung (um die eigene Achse)
- Eigenes Klatsch-Patsch-Muster erfinden
- Zu zweit: Klatsch-Patsch-Muster von Takt 7 aus der Choreografie unten

Die Lehrperson führt diese Choreografie mit einem Kind langsam aus und singt das Lied dazu. Beide suchen sich anschließend ein neues Gegenüber und so entsteht ein Lawinentanz: Bei jedem Durchgang verdoppelt sich die Anzahl tanzender Paare. Somit werden die Kinder gleichzeitig mit der Liedmelodie und den Elementen der Choreografie vertraut.

Takte	Bewegungen
1–6	Je zwei Kinder nehmen sich bei der Hand und gehen im Metrum durch den Raum. Auf „Stopp" in Takt 6 springen sie so in Position, dass sie sich gegenüberstehen.
7	– Zählzeit 1: ein Patscher auf beide Oberschenkel – 2: ein Klatscher – 3: Abklatschen mit rechts – 4: Abklatschen mit links
8	– Zählzeit 1: Erstes „hopp!": beidbeinig rückwärts hüpfen – 2: ein Klatscher – 3: Zweites „hopp!": beidbeinig vorwärts hüpfen – 4: ein Klatscher
9–10	Mit dem rechten Arm beim Gegenüber einhaken und eine Runde drehen
11–12	Eine lustige Bewegung machen, die auf „da" einfriert
13–14	Sich winkend verabschieden
15–16	Anderes Gegenüber suchen
17–18	Das neue Paar wählt gemeinsam eine Gangart und Handfassung für die ersten vier Takte des nächsten Durchgangs aus.

Morgenhit

Text und Musik: Béatrice Gründler

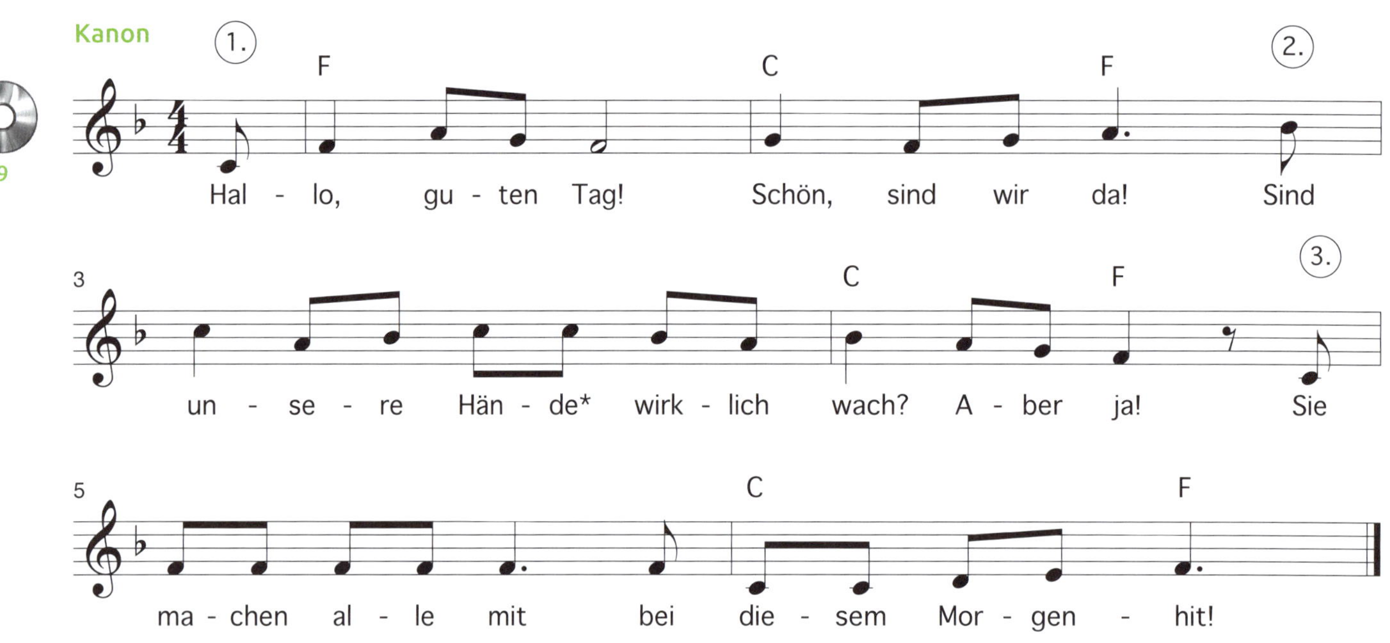

* Statt „Hände" auch: Arme, Finger, Füße oder Beine

Einstimmung: Körperteile wecken

- Die Kinder schließen die Augen und lauschen in den Körper hinein: Welche Körperteile sind schon richtig wach, welche schlafen noch ein bisschen? Wollen auch die Hände, Arme, Finger, Füße oder Beine geweckt werden?
- Zur Aufnahme (CD 9) schütteln, dehnen und drehen alle diese Körperteile.

Choreografie

Die Kinder gestalten das Lied:

Takte/Liedtext	Bewegungen
1–2	Begrüßungsgesten zeigen, wie Händeschütteln oder Winken
3: ab „Hände" usw.	Besungenen Körperteil zeigen
5–6	Besungenen Körperteil schütteln, dehnen oder drehen

Singen im Kanon

- Die drei Liedteile werden auf drei Gruppen verteilt. Jede Gruppe singt ihren Teil immer wieder. So erklingt die Dreistimmigkeit bereits als Scheinkanon (Circlesong, siehe Seite 17).
- Als „richtigen" Kanon singen.
- Gemeinsam wird die Reihenfolge der Körperteile bestimmt: zum Beispiel im ersten Durchgang „Hände", im zweiten „Beine" usw. Als Gedächtnisstütze fertigen die Kinder Skizzen an. Dann singen die Kinder den Kanon in drei Gruppen und führen die Bewegungen dazu aus.

Begleitpatterns für Stabspiele

Eine vierte Gruppe kann den Kanon mit Xylofonen und Klangstäben begleiten.

Das Spiel mit dem Hut

Text und Musik: Béatrice Gründler

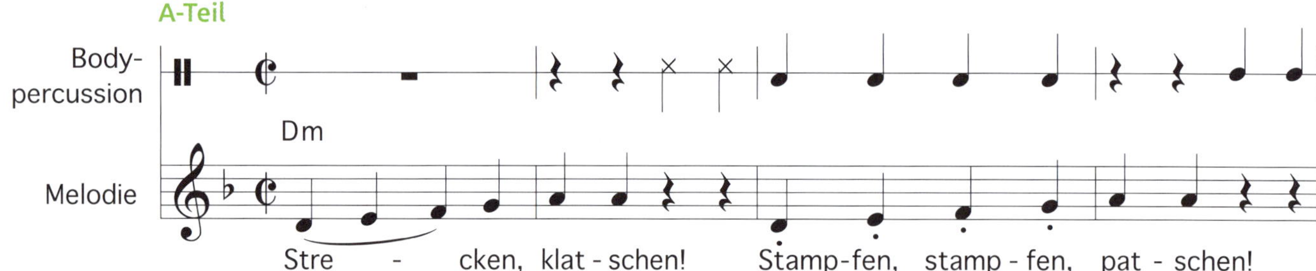

Einstimmung: Pantomime

Die Lehrperson zeigt die Bewegungen bis einschließlich Takt 6 rhythmisch korrekt vor und die Kinder kommentieren dazu spontan, was sie sehen. Beim zweiten Mal spricht die Lehrperson den Liedtext dazu. So erarbeitet die Klasse den Text des Liedes durch ihre Beobachtungen.

Bodypercussion mit Bewegungen

In diesem Spiel kombinieren die Kinder im A-Teil die Bodypercussion-Elemente Klatschen, Stampfen, Patschen und Schnipsen (siehe Kopiervorlage im Anhang, Seite 52) mit den beiden lockernden Bewegungen Sich-Strecken in Takt 1 und Sich-um-die-eigene-Achse-Drehen in Takt 5.

Legende Bodypercussion:

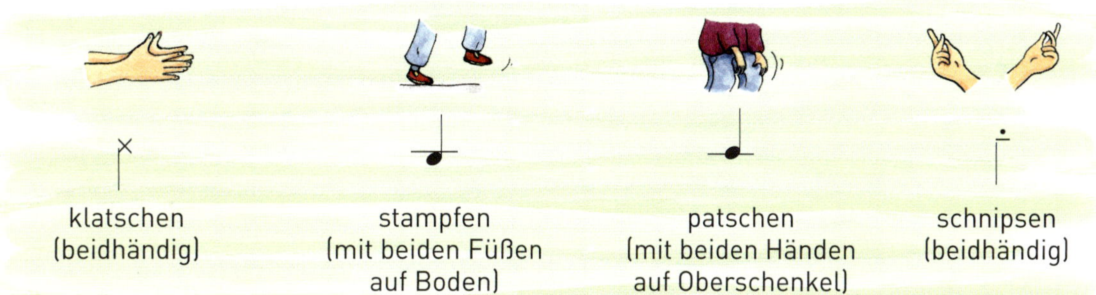

Wer trägt den Hut?

Im B-Teil erweitern die Kinder ihr Bewegungsrepertoire und imitieren, was das Kind mit dem Hut vormacht.

„Was kommt dann? Du bist jetzt dran!" Diese Frage mit Aufforderung singt die Klasse in den Takten 6 bis 7, wobei die Lehrperson bei „Du" auf ein Kind zeigt. Auf das Wort „Hut" in Takt 12 setzt sie ihm diesen auf den Kopf. Das betreffende Kind führt im ersten Durchgang des B-Teils einen bestimmten Schritt, eine Bewegung oder eine Geste aus. In der Wiederholung imitiert die ganze Klasse das Vorgezeigte.

Bei weiteren Durchgängen des Liedes wählt das Kind mit dem Hut ein anderes aus und setzt ihm den Hut als Aufforderung zum nächsten Vorzeigen auf.

Fit-Hit

Text und Musik: Béatrice Gründler

12

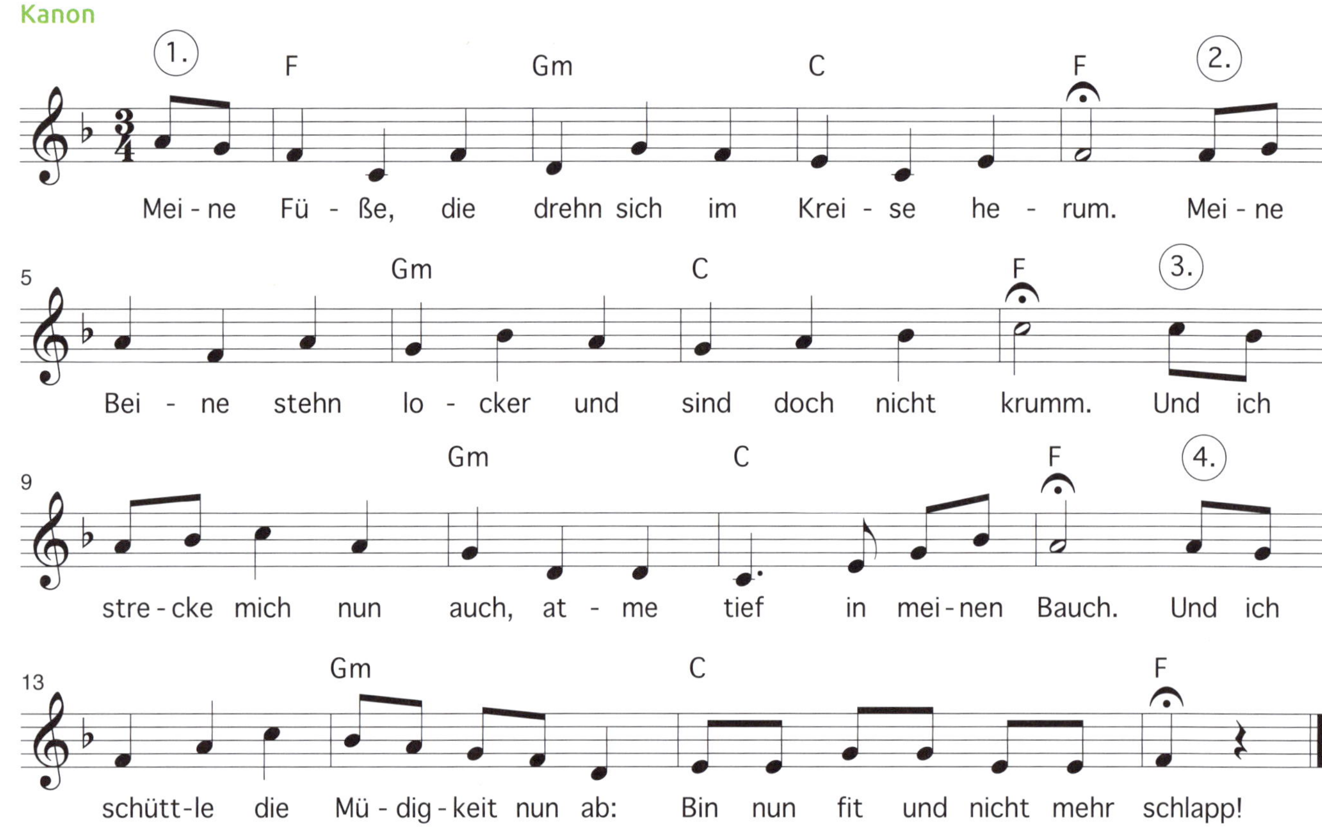

Einstimmung: Eine fitte Runde

Im Kreis zeigen einige Kinder eine Bewegung vor, die sie „fit macht", alle machen sie nach: Liegestütze, Rumpfbeugen, Arme drehen usw.
Die Lehrperson spricht nun den Liedtext und die Kinder führen die unten beschriebenen Bewegungen aus. So lernen sie den Text auf spielerische Weise kennen.

Wir bewegen uns zum Lied!

Takte/Liedtext	Bewegungen
1–2: Meine Füße, die drehn sich im	Rechten Fuß auf großer Zehe abstützen und den Fuß im Kreis drehen
3–4: Kreise herum	Linken Fuß auf großer Zehe abstützen und den Fuß im Kreis drehen
5–8: Beine stehn locker und sind doch nicht krumm	Locker stehen: Beine weder durchstrecken noch durchhängen lassen, beide Beine gleich stark belasten
9–10: strecke mich nun auch	Körper so lange wie möglich machen: Arme hochstrecken, auf Zehenspitzen stehen
10–12: atme tief in meinen Bauch	Beim Atmen die Hände links und rechts an Hüften abstützen und so das Zwerchfell spüren
13–16: schüttle die Müdigkeit ... schlapp	Arme, Hände, Beine und Füße „ausschütteln"

Circlesong

- Die vier Kanonteile ① bis ④ werden auf vier Gruppen aufgeteilt. Jede Gruppe spricht ihre Phrase zuerst einzeln und führt die passenden Bewegungen aus. Danach sprechen alle Gruppen ihren Kanonteil gleichzeitig ohne Unterbrechung weiter und bewegen sich dazu. Die Lehrperson singt jeder Gruppe währenddessen nacheinander die Melodie des jeweiligen Teils vor, die Kinder übernehmen sie.
- Aus dem Bewegungs-Sprechchor wird so Schritt für Schritt ein Circlesong: Jede Gruppe singt eine Minute lang ihre Stimme. Anschliessend wird rotiert: Die erste Gruppe singt Liedteil ②, die zweite singt ③, die dritte singt ④, die vierte singt ① usw.
- Schlussversion: Das Lied als Kanon mit Bewegungen singen.

Die Form des Circlesongs entstand in den 1980er-Jahren in Vokalgruppen. Kurze musikalische Phrasen werden in „kreisenden" Endlosschleifen wiederholt. Dies ist ein einfacher Weg zum mehrstimmigen Gesang und führt zu einem harmonischen Erfolgserlebnis.

Eichhörnchentanz

Text und Musik: Béatrice Gründler

Einstimmung: Trommelrhythmus

Die Lehrperson schildert den Liedinhalt: „Ein Eichhörnchen entdeckt im Wald eine Trommel und beginnt darauf zu spielen. Die anderen Eichhörnchen hüpfen aus dem Gebüsch und tanzen um es herum.“ Anschließend spielt sie auf einer Trommel (Djembe, Kleine Trommel, Große Trommel, Tamburin usw.) den Rhythmus des Liedtextes in Takt 1 und 2 wie notiert:

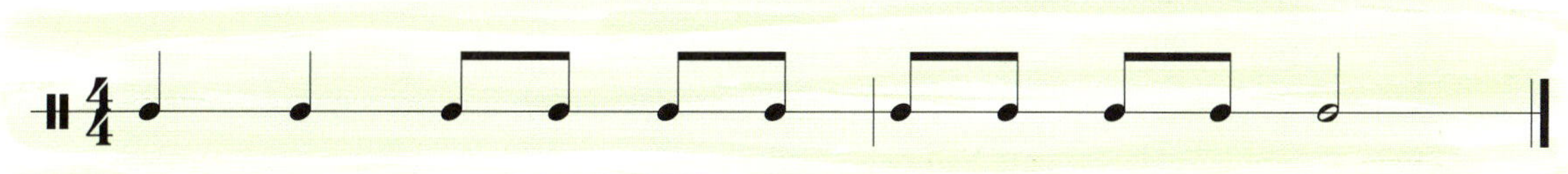

Die Kinder tanzen wie die Eichhörnchen um die Lehrperson herum.

Vom szenischen Spiel zum Kreistanz

Mit Bewegungen und Gesten gestalten die Kinder das Lied. Vor dem Start werden Paare bestimmt. Ausgangsposition: im Raum verteilt.

Liedtext A-Teil	Bewegungen
Hüpf, hüpf,	Hochspringen (zwei Mal)
großer Sprung.	Sprung vorwärts auf Zählzeit 3
Was höre ich denn da?	Beide Hände an die Ohrmuscheln halten
Klingt das nicht wie eine Trommel? Aber ja!	Im Sprechrhythmus beidhändig in der Luft „Trommel spielen“
Sie lockt mich vom Baum herunter,	Sich der Raummitte nähern ...
bin neugierig und ganz munter.	... und dabei herumschnuppern
Die Musik hat mich gepackt, tanz dazu exakt im Takt.	Sich im Metrum gehend der Raummitte nähern und einen Kreis bilden

Liedtext B-Teil	Bewegungen
Hin und her zwei Schritte,	Schritt rechts seitwärts, Beistellschritt, Schritt links seitwärts, Beistellschritt
danach in die Mitte,	Vier Schritte vorwärts: rechts, links, rechts, Beistellschritt
vorwärts und danach zurück!	Vier Schritte rückwärts: rechts, links, rechts, Beistellschritt
Und dann steht zum großen Glück	Jeweils zwei Kinder wenden sich einander zu und reichen sich die rechte Hand.
hier ein Tor und „Hopp, hopp, hopp!“	Sie heben die rechten Arme hoch, das eine Kind dreht sich unter diesem „Tor“ einmal im Kreis.
Schnell hindurch, dann kommt der	Das zweite Kind dreht sich unter dem Tor einmal im Kreis.
Stopp!	Stillstand

Warm-up

Text und Musik: Béatrice Gründler

14/15

Verse	Bewegungen
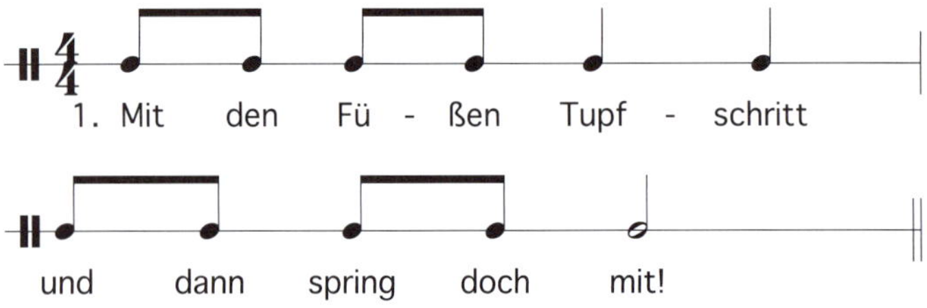 1. Mit den Fü - ßen Tupf - schritt und dann spring doch mit!	> Zehenspitzen berühren „tupfend" bei jeder Note den Boden, abwechselnd links und rechts > Beim Wort „mit!" hochspringen
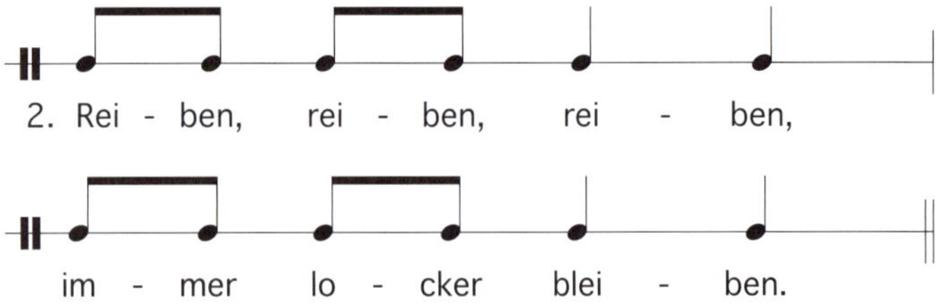 2. Rei - ben, rei - ben, rei - ben, im - mer lo - cker blei - ben.	> Den ganzen Körper genüsslich mit den Händen reiben
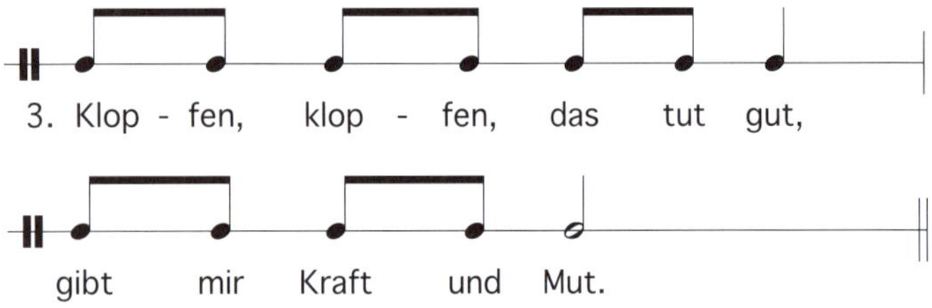 3. Klop - fen, klop - fen, das tut gut, gibt mir Kraft und Mut.	> Mit Handflächen auf den Brustbereich klopfen
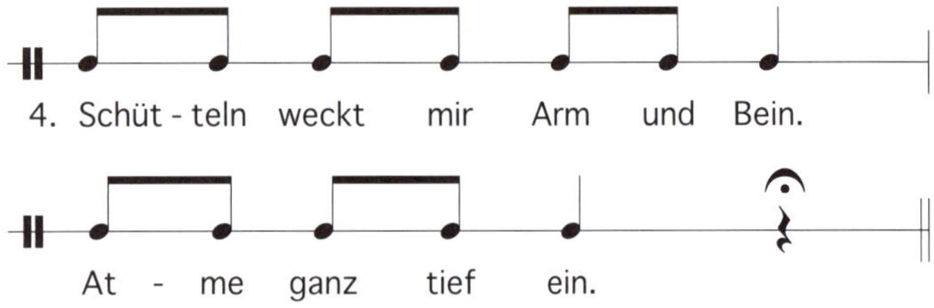 4. Schüt - teln weckt mir Arm und Bein. At - me ganz tief ein.	> Arme, Beine und ganzen Körper schütteln > In der Pause langsam einatmen und dazu die Arme hochheben
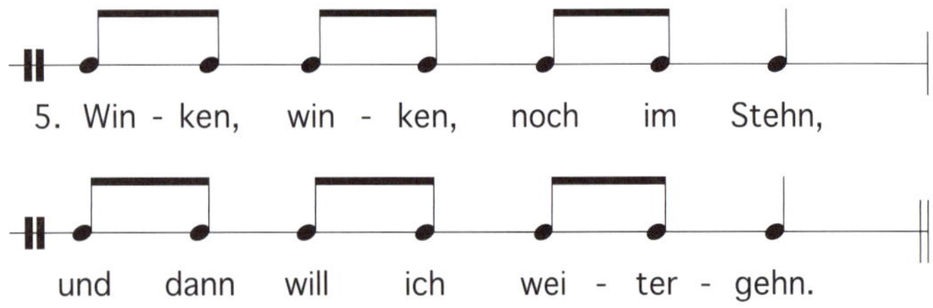 5. Win - ken, win - ken, noch im Stehn, und dann will ich wei - ter - gehn.	> Dem Gegenüber zum Abschied winken > Mit dem Wort „und" losgehen und ein neues Gegenüber an einem neuen Standort suchen
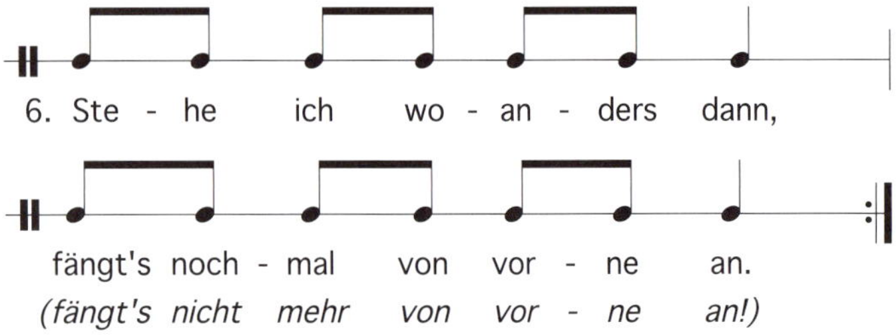 6. Ste - he ich wo - an - ders dann, fängt's noch - mal von vor - ne an. *(fängt's nicht mehr von vor - ne an!)*	> Neues Gegenüber suchen und finden, bereit machen für den neuen Durchgang > Auf das Wort „an" sollten alle vor einem neuen Gegenüber stehen. > Beim letzten Durchgang (Text in Klammern) gehen alle an den ersten Standort zurück.

Einstimmung: Auflockerung

Diese Abfolge von belebenden und lockernden Bewegungen fördert die Körperwahrnehmung und die Koordination. Besonders geeignet ist sie zur Motivierung bei Lektionsbeginn wie auch als Auflockerung während einer Lektion.

Vom Ich zum Du zum Wir

- **Einzeln:** Die Kinder stehen verteilt im Raum, sprechen den Text und führen die Bewegungen dazu aus.
- **Zu zweit:** Jeweils zwei Kinder stehen sich gegenüber. Zum ersten Vers fassen sie sich die Hände, beim zweiten und dritten Vers führen sie die Bewegungen am anderen Kind aus. Während des letzten Verses suchen sie sich jeweils ein neues Gegenüber, indem sie durch den Raum gehen.
- **Zwei Reihen:** Die Kinder stehen sich in zwei Reihen gegenüber. Beim letzten Vers rückt eine Reihe um eine Position nach rechts, das Kind rechts außen wechselt vom Ende an den Anfang der Reihe.

Kopiervorlagen für diese und weitere Sozialformen finden sich im Anhang (Seite 53).

Gestaltungsmöglichkeiten

- Einzelne Verse werden in kleinen Gruppen oder solistisch vorgetragen. Die Verse werden den Gruppen zugeteilt und in der richtigen Reihenfolge präsentiert.
- Ein Kind gibt das Metrum mit einem Schlaginstrument vor.
- Die Lehrperson gibt das Metrum mit einem Rhythmusinstrument vor und variiert das Tempo.
- Die Kinder flüstern die Verse nur. Die Lehrperson achtet auf eine deutliche Aussprache.
- Kanon: Gruppe 1 startet mit Vers 1. Sobald sie mit Vers 2 beginnt, startet Gruppe 2 mit Vers 1 usw.

Gib mir mal den Becher

Text und Musik: Béatrice Gründler

16/17

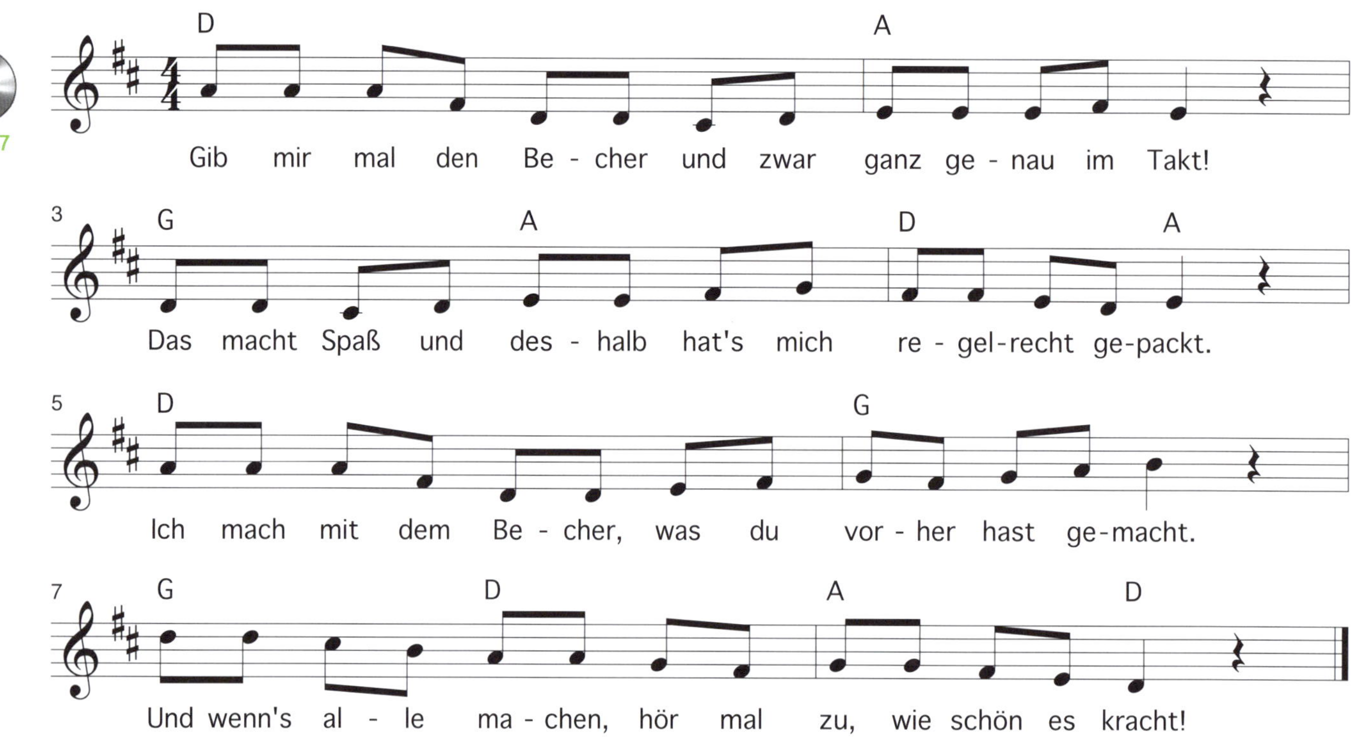

Einstimmung: Hörrätsel

Die Kinder schließen die Augen und erraten, auf welche Art die Lehrperson mit zwei Bechern unterschiedliche Geräusche macht.
Beispiele:

- Mit den Fingern auf den Becher klopfen
- Die beiden Becher gegeneinander schlagen
- Die beiden Becher aneinander reiben
- Mit dem Becherrand oder Becherboden auf den Boden klopfen
- Die Becher rollen
- Die Becher fallen lassen

Becher-Geräusche

Die Kinder gehen zum Lied (CD 16/17) im Raum umher. In der einen Hand halten sie einen Becher und klopfen damit im Metrum von Viertelnoten auf die flache Innenseite der anderen Hand. Stoppt die Lehrperson plötzlich das Lied, klopfen zwei zuvor bestimmte Kinder mit den Bechern auf verschiedene Materialien im Raum (Holz beim Pult, Keramik beim Spülbecken usw.) und experimentieren so mit Geräuschen.

Becher wandern im Kreis

Alle sitzen im Kreis auf dem Fußboden. Vor einem Kind steht ein Becher mit der Öffnung nach unten. Zum Lied heben die Kinder auf jede Zählzeit 1 einen fiktiven oder den echten Becher auf und stellen ihn auf jede Zählzeit 3 vor dem rechten Nachbarn wieder ab.
Ein „echter" Becher nach dem anderen kommt in Abständen hinzu, bis am Ende jedes Kind einen solchen im Kreis herumwandern lässt. Das metrische Herumgeben soll fortlaufend klappen.

Variante zum Weitergeben der Becher:

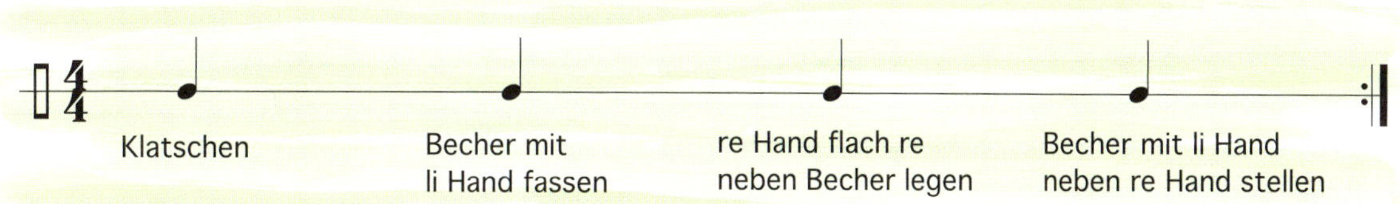

Die Lehrperson führt dazu das Lied Zeile für Zeile ein.

Eigene Varianten

Die Kinder probieren zu zweit eigene Bewegungsabläufe aus und zeigen diese der Klasse vor. Gemeinsam wird eine endgültige Klassenversion entwickelt.

So, wie du bist

Text und Musik: Béatrice Gründler

18

Einstimmung: Jedes Kind ist besonders

Die Eigenart und das Potenzial jedes Einzelnen sind hier das Thema. Alle Kinder sollen mal im Mittelpunkt stehen dürfen, und dies nicht nur an ihrem Geburtstag. Jedes Kind gestaltet ein Bild von sich selbst, hängt es im Zimmer auf und stellt es den anderen vor.

Stimmen erkennen

Die Kinder stehen im Kreis um ein Kind mit geschlossenen Augen herum. Auf ein Zeichen der Lehrperson wird es von jemandem mit „Hallo" und seinem Namen begrüßt.
Das Kind in der Mitte antwortet mit „Hallo" und dem Namen jener Person, die es hinter der gehörten Stimme zu erkennen glaubt.
Ein zweites Kind aus dem Kreis grüßt usw. Das Stimmen erratende Kind in der Kreismitte wechselt regelmäßig.

Wir machen eine Polonaise!

Jeweils ein Kind wird besungen. Währenddessen darf es eine Polonaise anführen oder in der Kreismitte stehen. Am Ende des Refrains macht es Tanzbewegungen vor und alle anderen Kinder imitieren diese bis zum Beginn der zweiten Strophe.
Die Lehrperson führt zuvor eine Auswahl an möglichen Bewegungen ein: hüpfen, Tupfschritt, Kreuzschritt (siehe auch Kopiervorlage „Gangarten", Seite 53), Arme drehen, schütteln, strecken und beugen usw.

Erratet ihr das Tier?

Text und Musik: Béatrice Gründler

19/20

A-Teil

D A D G
Wir ge - hen durch den Ur - wald*, ein gro - ßes, tol - les Reich. Da
Gar - ten,
Wald,
Zoo,

5 D A D A D
hat's be - son - dre Tie - re und kein ein - zi - ges ist gleich.

B-Teil

9 A D A D
Schaut mal das hier an: Es zeigt euch, was es kann!

13 G D A7 D
So macht es, er - ra - tet ihr, er - ra - tet ihr das Tier?

* Der Lebensraum der Tiere kann an dieser Liedstelle nach Belieben angepasst werden.

Einstimmung: Klangteppich

Tiere erraten aus Urwald, Garten, Wald oder Zoo: Die Lehrperson legt einen Lebensraum fest und jedes Kind wählt daraus für sich drei Tiere. Die Kinder schließen die Augen und kreieren mit ihrer Stimme einen Klangteppich mit Tiergeräuschen der gewählten Tiere. Dabei lassen sie sich etwas Zeit, sodass sie auch auf die Tiergeräusche der anderen hören können. Wenn kein Tier mehr erklingt, öffnen sie wieder die Augen.

Tiere darstellen

Während die Kinder den A-Teil singen, überlegen sie sich, welches Tier aus dem besungenen Lebensraum sie gerne sein möchten. Dazu patschen sie mit den Händen im Metrum auf die Oberschenkel. Im B-Teil stellt jeweils ein Kind sein Tier mit Bewegungen, Gesten und allenfalls Geräuschen dar. Alle anderen singen und klatschen dazu im Sprechrhythmus. Zwischen zwei Lieddurchgängen erraten die Kinder das vorgezeigte Tier.
Als Abschluss stellen mehrere oder alle Kinder gleichzeitig ein weiteres Tier dar und die Lehrperson versucht es zu erraten.

Stabspielbegleitung

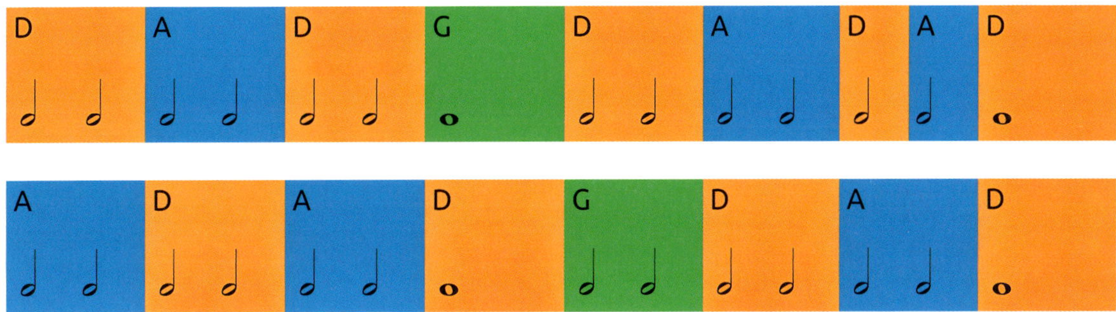

D = D – (Fis – A)
A = A – (Cis – E)
G = G – (H – D)

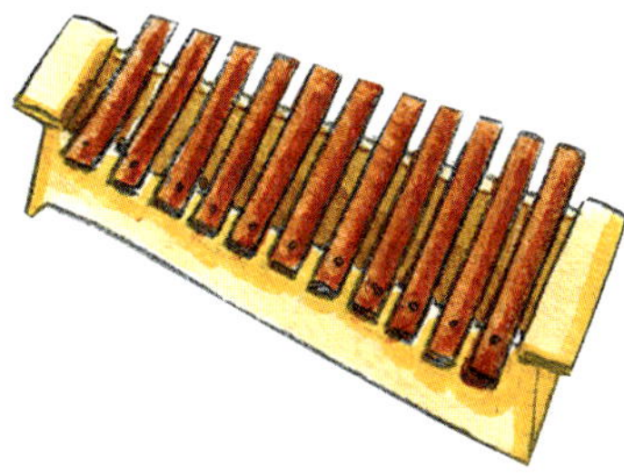

Einige Kinder begleiten auf Trommeln, Wooden Agogos oder mit Essstäbchen im A-Teil in Viertelnoten und im B-Teil im Sprechrhythmus.

Instrumentenlied

Text und Musik: Béatrice Gründler

Intro

Refrain

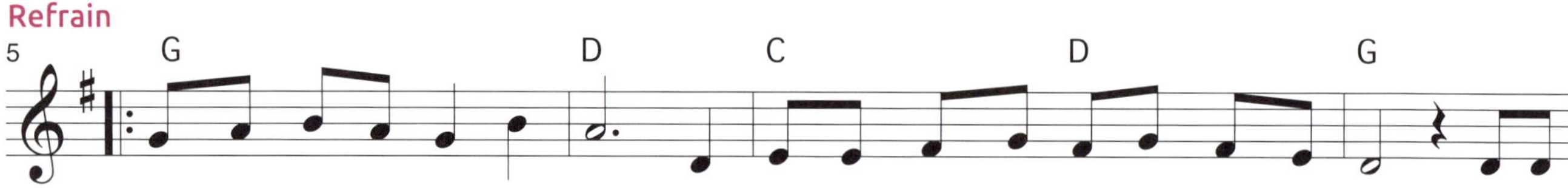

Strophen

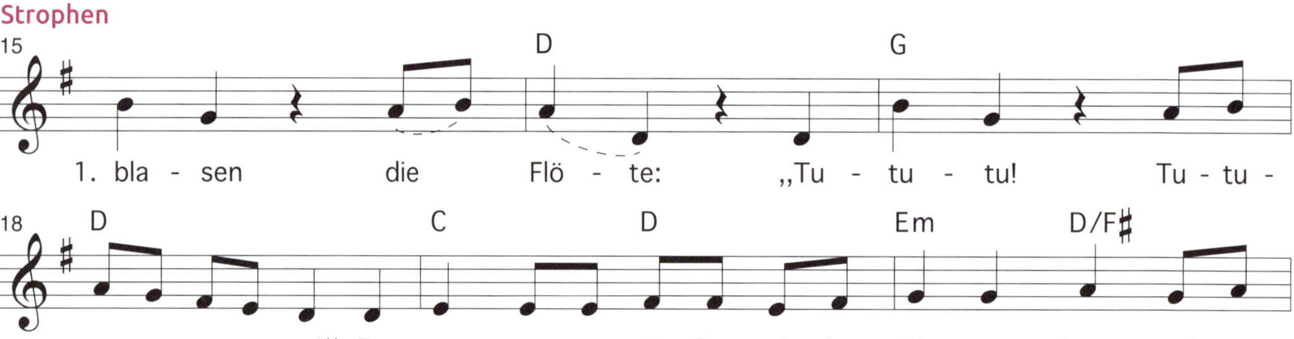

1 Wir blasen die Flöte: „Tu-tu-tu! Tu-tu-...“ Blasinstrumente

2 Wir singen hell und klar: „La-la-la! La-la-...“ Körperinstrument Stimme

3 Wir schlagen auf die Trommel: „Tam-tam-...“ Schlaginstrumente

4 Wir schütteln die Rasseln: „Sch-sch-...“ Selbstklinger

5 Wir streichen die Geige: „Ja-ja-...“ Saiteninstrumente

6 Wir drücken die Tasten: „Plim-plim-...“ Tasteninstrumente

Einstimmung: Spielweisen imitieren

Unter einem Tuch liegen Instrumente verschiedener Gattungen: ein Blas-, ein Schlag-, ein Saiteninstrument sowie ein Selbstklinger. Die Kinder schließen die Augen. Die Lehrperson holt die vier Instrumente nacheinander unter dem Tuch hervor und spielt eine kurze Tonfolge oder einen kurzen Rhythmus. Auch ein Klavier erklingt. Danach benennen die Kinder die Instrumente und ahmen mit Gesten deren Spielweise in der korrekten Reihenfolge nach.

Spielweisen von Instrumenten

- Die verschiedenen Spielweisen der Instrumente werden nun anhand der Bilder (siehe Kopiervorlagen, Seite 54) genauer besprochen. Die Lehrperson singt die Strophen des Liedes vor, die Kinder legen das entsprechende Bild in die Kreismitte (Bild Flöte zu Strophe 1 usw.).
- Umgekehrt legen einzelne Kinder zuerst jeweils ein Bild in die Mitte, anschließend singt die ganze Klasse die passende Strophe.
- Zum Refrain deuten die Kinder gestisch an, wie sie ihr Lieblingsinstrument spielen.

Hinweis: Die Stimme ist ein Körperinstrument.

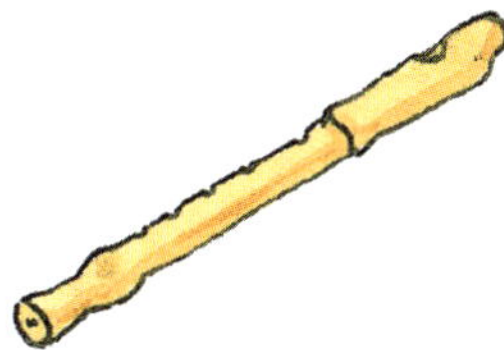

Gestaltungsvarianten

- Das Lied wird in unterschiedlichen Tempi und Lautstärken, aber auch mal spitz (staccato) oder breit (legato) gesungen. Ein Kind kann diese Gestaltungen mit Handzeichen führen, sodass sich die Klasse als Orchester erlebt.
- Welche vorhandenen Instrumente können die Kinder ins Lied einbauen? Die anderen können weiterhin gestisch dargestellt werden.
- Das Intro kann von einem Melodieinstrument gespielt werden.

Polonaise mit Band

Die Kinder gehen zum Lied in einer Polonaise durch den Raum, deuten im Refrain weiterhin ein Instrument an oder dirigieren. Dazu spielen einzelne die vorhandenen Instrumente, wie Rassel oder Trommel, in den entsprechenden Strophen im Metrum. Musizierende und gehende Kinder können ihre Rollen immer wieder tauschen.

Trommelbommel

Text und Musik: Béatrice Gründler

22/23

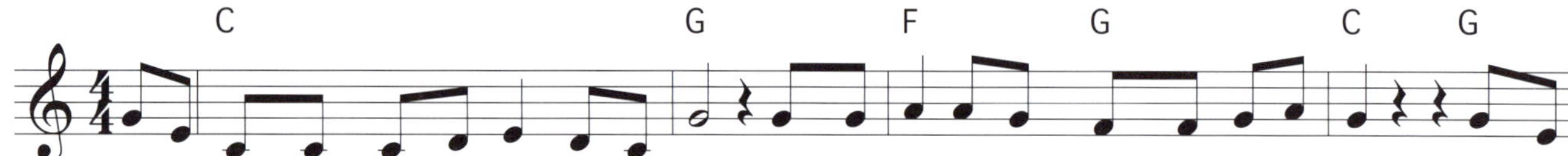

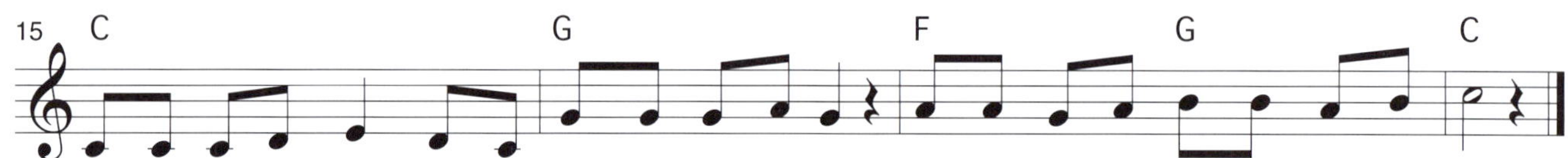

Einstimmung: Klangfarben einer Trommel

Die Kinder versuchen der Trommel möglichst viele unterschiedliche Klänge zu entlocken: mit der Faust auf die Mitte des Fells schlagen, mit der flachen Hand an den Trommelrand, mit flacher Hand auf Trommelkörper; mit den Fingernägeln Fell antippen, mit Handrücken über das Fell streichen usw.

Agogisches Sprechen

In diesem Lied lernen die Kinder beim Spielen auf der Trommel (Djembe, Cajón, Tamburin usw.) musikalische Gestaltungsmöglichkeiten kennen. Als Vorbereitung auf das gemeinsame Trommeln im nächsten Abschnitt sprechen sie den Liedtext und gestalten ihn agogisch: Pausen einbauen, Tempo und Lautstärke variieren.

Abwechslungsreiches Trommeln

Die Lehrperson spricht langsam und metrisch frei. Die Kinder trommeln metrisch frei dazu und setzen den Textinhalt dabei um:

Takte/Liedtext	Gestaltung beim Musizieren
1–2: Meine ... Laut und	Laut spielen
3–4: leise und ... still	Leise spielen
4: Viertelpausen	Nicht spielen
5–8: will, dann ...	Immer schneller spielen
9–10: Langsam ... auch	Langsam spielen
13–14: ohne Liedtext	Improvisieren, siehe „Solo und Imitation"
Liedende, zwischen zwei Durchgängen	Vorspielen–nachspielen, siehe „Solo und Imitation"

Solo und Imitation

- Nach „Solo aus dem Bauch" (Takte 11 und 12) spielt jeweils ein einzelnes Kind frei auf der Trommel und experimentiert dabei mit den Klängen (Takte 13 und 14).
- Am Liedende spielt ein weiteres Kind einen erfundenen Rhythmus vor, den der Rest der Klasse nun so exakt wie möglich nachspielt. Weitere Solistinnen und Solisten kommen an die Reihe. Die Dauer der Soli ist zuerst völlig frei. Später begrenzt sie die Lehrperson, indem sie auf vier (einen Takt) oder acht (zwei Takte) zählt.

Rocky-Socky-Chor

Text und Musik: Béatrice Gründler

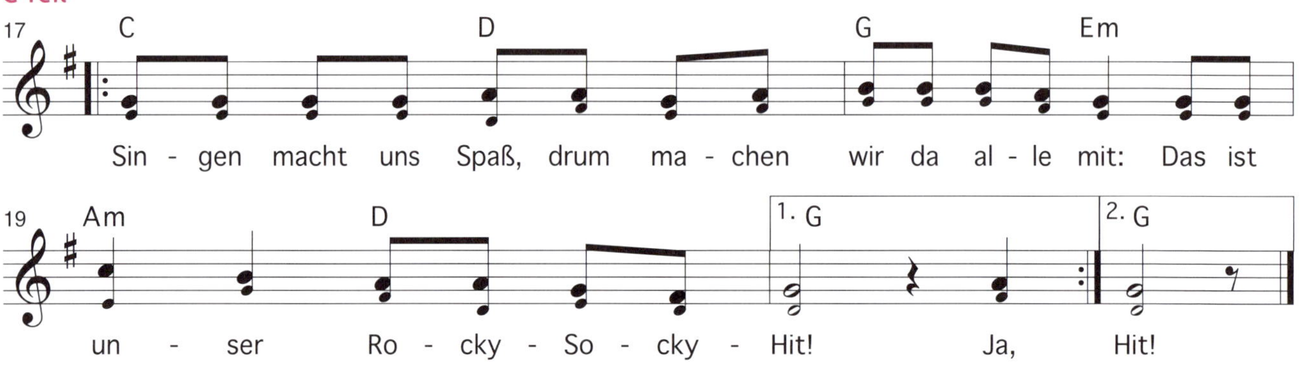

Einstimmung: Das große Treffen der Rocky-Sockies

Für dieses Lied braucht jedes Kind eine Socke, die es mit zwei Augen, einem Wollbüschel als Haarschopf und weiteren Accessoires schmückt, sodass eine lustige Sockenhandpuppe entsteht. Die Lehrperson erzählt folgende Geschichte zur Einführung:

„Die Rocky-Sockies haben alle das gleiche Schicksal: Irgendwann kamen sie alleine aus der Waschmaschine und gaben eine Vermisstenanzeige für ihre andere Hälfte auf. Ohne Erfolg … Nach langem Trübsalblasen treffen sich die einsamen Socken glücklicherweise irgendwann, um gemeinsam zu singen. Das macht Spaß! Sie haben viele Ideen, wie sie ihr Rocky-Socky-Lied gestalten können: Da geht's mit Treffsicherheit auf und ab, wird laut und leise und es gibt sogar einen Soloteil."

Spielerische Stimmbildung

- Die Kinder und die Sockenhandpuppen singen einen langen Ton auf einem vereinbarten Vokal und beobachten dabei die anderen. Ziel ist es, eine möglichst schlanke Mundstellung, einen Kussmund zu formen.
- Die Lehrperson oder ein Kind macht Vokalkombinationen vor, beispielsweise „e-a-o-i-u", die Klasse imitiert sie mit ihren eigenen Mündern und jenen der Sockenhandpuppen, der Rocky-Sockies.
- Die Lehrperson oder ein Kind macht eine Konsonantenkombination vor, beispielsweise „p-t-k-s-sch-ff", die Klasse imitiert sie.
- Die Kinder singen die Melodie des A-Teils mit dem Liedtext, aber nur mit einem Vokal, beispielsweise „u": „Wur sund dur Rucku-Sucku-Chur …"

Liedgestaltung

- **Laut und leise:** Die Kinder singen die Stelle „Wir singen leise und dezent" sehr leise (pianissimo). Bei „und auch mal laut und vehement" werden die Stimmen durch Stützen mit dem Zwerchfell laut (forte).
- **Solo:** Notiert ist ein Vorschlag. Vielleicht möchte ein Kind im Soloteil aber auch improvisieren?
- **C-Teil:** Hier wird der Gesang zweistimmig und damit zum eigentlichen Rocky-Socky-Chor. Das ist der Höhepunkt, hier sollen die Kinder und mit ihnen alle Sockenhandpuppen nochmals richtig kräftig mitsingen. Ist die Zweistimmigkeit zu schwierig, singt die Klasse nur die Hauptstimme und die Lehrperson die zweite Stimme dazu.

Hokus pokus fidibus

Text und Musik: Béatrice Gründler

2 Sternenstaub und eins, zwei, drei,
fertig ist das goldne Ei.
Schon liegt's da in meiner Hand,
ohne Vorhang, ohne Wand.

3 Kann vergolden und verwandeln,
Steine werden Zuckermandeln.
Federn können schnell verschwinden,
Ringe sich im Nu verbinden.

4 Wenn ich einmal Ruhe will,
dann steht plötzlich alles still.
Will ich aber lauten Krach,
knallt's und alle sind gleich wach.

5 Was du siehst, das ist nur Schein,
kann auch etwas andres sein.
Wünsch dir was, glaub fest daran
und schon fängt der Zauber an.

Einstimmung: Wir verzaubern einander!

Die Lehrperson verzaubert alle Kinder in etwas, das sie gerne sein möchten. Sie machen dann entsprechende Geräusche und Gesten und versuchen gegenseitig zu erraten, was sie darstellen.

„Was ist wohl im Hut jetzt drin?"

> Ein Kind trägt einen Hut auf dem Kopf und schwingt im Refrain einen Zauberstab im Metrum von halben Noten zur Aufnahme (CD 26). Die ganze Klasse imitiert diese Bewegung mit einem fiktiven Zauberstab und spürt dabei den Puls des Liedes.
> Bei der Frage am Schluss des Refrains zeigt das Kind mit dem Zauberstab auf ein anderes, das nun eine originelle Antwort geben darf: ein Elefant, ein Spiegelei, ein Känguru?
> In der ersten Strophe nimmt das zaubernde Kind den Hut langsam und würdevoll vom Kopf („dazu nehm ich meinen Hut"), präsentiert stolz den Zauberstab („und auch meinen Zauberstab"), lässt diesen beschwörend um den Hut kreisen („rundum geht er"), hebt ihn zum krönenden Abschluss der Zauberhandlung schwungvoll an und lässt ihn auf den Rand des Hutes sinken („auf und ab").

Liedgestaltung

Fünf Gruppen erhalten jeweils eine Strophe zugeteilt. Jede Gruppe gestaltet ihre Strophe mit Bewegungen, Gesten, Materialien, Stimmausdruck oder Instrumenten gemeinsam. Besungene Materialien, wie Federn, Steine oder Ringe, liegen ebenso bereit wie Instrumente, die sich inhaltlich anbieten (z. B. Becken für Krach, Triangel oder Röhrenglocken für Zauber).
Schließlich präsentieren alle Gruppen singend ihre Strophe. Den Refrain singt die Klasse jeweils gemeinsam.

Willkommen auf dem Schloss

Text und Musik: Béatrice Gründler

Strophe

27/28

Zwischenspiel

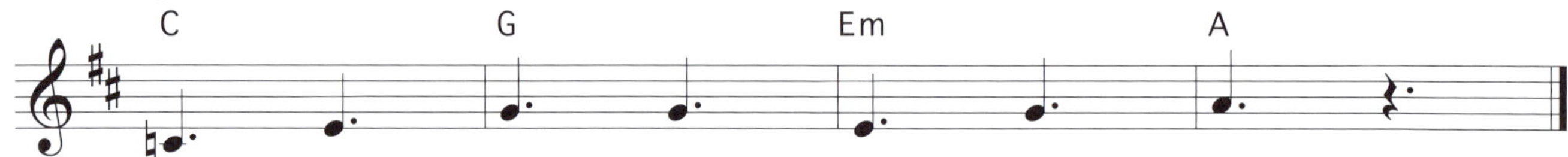

2 Ich bin seine Frau, gestatten: Madame Königin.
Schaut mich einmal an, man sagt, dass ich die Schönste bin. (2×)

3 Ich, Prinzessin, zart und fein, hab auch 'ne Krone auf.
Meine Kleider sind aus Samt, mit Silberfäden drauf. (2×)

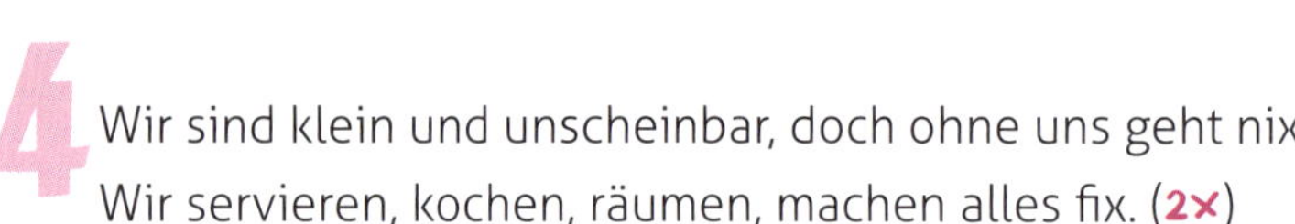

4 Wir sind klein und unscheinbar, doch ohne uns geht nix.
Wir servieren, kochen, räumen, machen alles fix. (2×)

5 Jetzt komm ich, der Musikant, im wichtigsten Moment.
Ich spiel Laute, singe schön fürs ganze Regiment. (2×)

6 Auch den Hofnarr'n braucht es hier, denn Lachen, das tut gut.
Späße, Witze mach ich gern und schwenke meinen Hut. (2×)

Einstimmung: Wer lebt auf dem Schloss?

Dieses Lied stellt in jeder Strophe eine auf dem Schloss lebende Person vor und lädt dazu ein, in die jeweilige Rolle zu schlüpfen. Auf dem Boden liegen die Bilder der vorkommenden Schlossbewohner (siehe Kopiervorlagen im Anhang, Seite 54).

- Die Kinder sortieren diese in der richtigen Reihenfolge, während sie das Lied anhören (CD 27).
- Im zweiten Durchgang bewegen sich alle wie die besungenen Personen durch den Raum.
- Beim dritten Mal werden die sechs Rollen auf alle Kinder verteilt. Sie stellen sie in den entsprechenden Strophen mit passenden Gesten dar.

Inszenierung zur Melodie

Formation: Zwei einander gegenüberstehende Reihen, Handfassung links und rechts.
Die Kinder bewegen ihre Arme langsam auf und ab.

- Jeweils die ersten Kinder beider Reihen schreiten zu zweit würdevoll durch die Gasse, während alle anderen dazu die Melodie auf verschiedenen Silben singen (na, no, nu usw.). Die Kinder, die die Gasse bilden, verschieben sich jeweils so, dass die Paare beieinanderbleiben.
- Die ganze Klasse singt das Lied. Die beiden Reihen bilden die Gasse nun mit hochgehaltenen Händen. Jeweils ein Kind schreitet alleine hindurch und spielt dabei die in der entsprechenden Strophe besungene Rolle.
- Nach erfolgtem Durchschreiten der Gasse schließen sich die Kinder unten wieder jener Reihe an, aus der sie gestartet sind. Abwechslungsweise ist ein Kind von der linken, dann von der rechten Reihe dran. Passende Kostüme und Requisiten bereichern die Inszenierung.

Besondere Herausforderung: Genau am Ende eines Verses wieder in der Reihe stehen.

Begleitpattern für Triangel

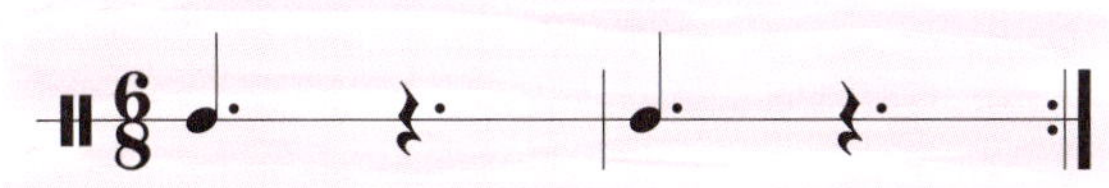

Die Begleitstimme des Triangels unterstützt das Schreiten zum Lied.

Drei Raben

Text und Musik: Béatrice Gründler

29/30

A-Teil

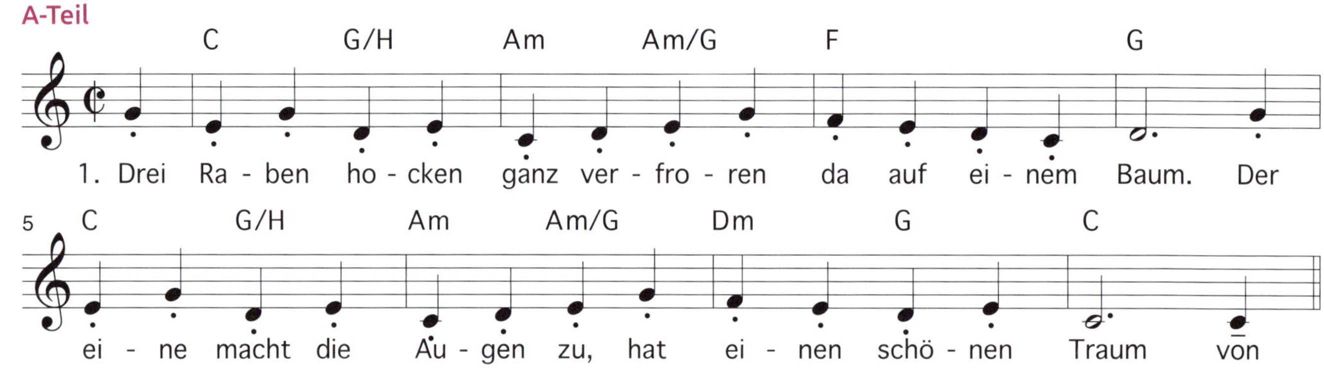

B-Teil

Zwischenspiel

2

A-Teil: Der zweite denkt sich etwas aus, damit er nicht erfriert:
Zieht warme Stiefel an und schaut, dass er sie nicht verliert.
B-Teil: Beim Fliegen ist das nicht so leicht, sie sind doch ziemlich schwer.
Tatsächlich, das sieht komisch aus, denn er schwankt hin und her!

3

A-Teil: Der dritte denkt nicht gar so viel. Er hat den Schnabel voll
von dieser Kälte, denn er findet Frieren gar nicht toll.
B-Teil: Er fliegt jetzt in die Scheune nebenan, legt sich ins Heu.
Man sieht ihn nicht mehr auf dem Baum, da sind's jetzt nur noch zwei!

Einstimmung: Fragerunde

Die Kinder hören sich das Lied über die drei Raben mit geschlossenen Augen an und beantworten anschließend folgende Fragen:

- Wie viele Raben saßen auf dem Baum? (drei, siehe Illustration 1 im Anhang, Seite 55)
- Was hatte der erste Rabe? (einen Traum, siehe Illustration 2)
- Zu welcher Jahreszeit ereignete sich die Geschichte? (Winter, siehe Illustration 3)
- Was zog sich der zweite Rabe an? (ein Paar Stiefel, siehe Illustration 4)
- Was machte der dritte Rabe? (schlafen, siehe Illustration 5)
- Wie viele Raben sitzen am Ende noch auf dem Baum? (zwei, siehe Illustration 6)

Die Kopiervorlagen im Anhang (Seite 55) dienen als Lösung und als Texterinnerungshilfe beim Erlernen der Strophen.

Liedgestaltung

- Die Kinder schneiden die Karten mit den Raben-Figuren aus und heften sie an Holzstäbe. Sechs Kinder strecken hinter einem aufgespannten Tuch jeweils passend zum Liedtext ihre Figuren in die Höhe. Der Rest der Klasse singt das Lied.
- Einige Instrumentalisten gestalten das Zwischenspiel mit freiem Spiel von Triangel, Papier, Blechbüchse, Metallofon und Becken: Diese Instrumente symbolisieren Schnee und Eis. Die ganze Klasse krächzt dazu wie Raben.
- Die anderen Kinder bereiten in drei Gruppen das Singen jeweils einer Strophe vor und achten dabei genau darauf, das Lied staccato zu singen. Eine Ausnahme bilden jeweils die Takte 9 bis 12: Hier wird geträumt oder geflogen, es singen daher alle legato.
  Eine hilfreiche Vorstellung für die Umsetzung: „staccato" klingt frostig und klirrend kalt, „legato" weich und warm, breit und verträumt.

Einsteigen bitte!

Text und Musik: Béatrice Gründler

31/32

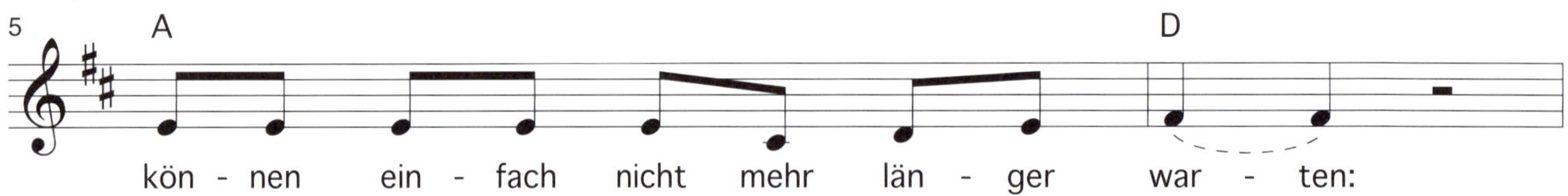

2 Gemeinsam sind wir unterwegs, ganz heiter!
Unser Horizont wird immer weiter.

3 Wir wollen gerne unsren Fortschritt sehen,
jedes darf in seinem Tempo gehen.

4 Wir spitzen unsre Ohren, tanzen, singen,
lassen alles Mögliche erklingen.

5 Mit Freude und mit Kopf und Herz und Hand
lernen wir so staunend allerhand.

6 Und zwischendurch, fast hätten wir's vergessen,
können wir den Pausenapfel essen.

Einstimmung: Der Zug fährt los!

Stühle sind wie Zugsabteile im Raum angeordnet. Es hat einen Stuhl weniger als Kinder. Zum Playback des Liedes (CD 32) schlendern die Kinder durch die Abteile. Wenn die Lehrperson die Musik stoppt, fährt der Zug los: Alle müssen einen Sitzplatz finden! Wer bleibt übrig?
Die Schule ist wie eine Reise, auf der wir gemeinsam unterwegs sind und unseren Horizont erweitern. Auf dieser Reise hat es für alle einen Sitzplatz!
Dieses Lied können die Kinder der zweiten Klasse für die neu aus der ersten Klasse Ankommenden singen, um sie im Schul-Zug willkommen zu heißen. Die Neulinge dürfen denn auch gleich mit einsteigen. Sie erleben damit, dass für sie ein Platz reserviert ist und dass eine gemeinsame Reise durch Neuland beginnt. Alle sitzen „im gleichen Zug" und sind auch aufeinander angewiesen. Später wird das Lied vielleicht zum Morgenritual.

Wo fährt der Zug durch?

Ein Kind geht im Raum umher und macht dazu das Geräusch eines ratternden Zuges auf „rrrrrr". Es muss dabei das Zwerchfell anspannen, um möglichst lange mit einem Atemzug durchzuhalten. Die mit geschlossenen Augen im Raum verteilte Klasse zeigt dazu immer in die Richtung des sich fortbewegenden Zuges.

Von Bahnhof zu Bahnhof

Die Kinder der zweiten Klasse stehen in Zugformation: Ein Kind ist die Lokomotive, alle anderen reihen sich dahinter ein und greifen an die Schulter des vorderen „Wagens". Während der Strophen bleibt der Zug jeweils im Bahnhof stehen. So können sich alle auf den Liedtext konzentrieren.
In jedem Refrain tuckert der Zug bis zum nächsten Bahnhof frei durch den Raum. Dabei tippt die Lokomotive jeweils ein oder zwei Kinder aus der ersten Klasse an, die sich hinten an die Zugformation hängen dürfen. Das Lied beginnt immer wieder von vorne, bis alle „Wagen" am Zug angehängt sind.

Bilder als Gedankenstütze

Damit die Kinder sich die Verse gut einprägen können, werden diese mit Bildern dargestellt (siehe Kopiervorlagen im Anhang, Seite 55). Beispielsweise wählen drei Kinder je einen Vers aus und halten dann das entsprechende Bild auch an der richtigen Stelle im Lied hoch.
Dabei lösen die Kinder folgende Aufgaben:

- Die getroffene Auswahl der Verse akzeptieren
- Die Reihenfolge der Zahlen im Kopf behalten, z. B. 1–3–6
- Die Verse in den Bildern wiedererkennen
- Die Anzahl der Kinder berechnen, die jeweils einsteigen können, sodass alle drankommen

Schluckauf, oh weh!

Text und Musik: Béatrice Gründler

33/34

Strophen

C Dm

1. Wenn man den Schluck-auf hat und man hat ihn so satt, dann macht man

3 G7 C F

al - les, da-mit man ihn bald nicht mehr hat. Da muss 'ne Lö - sung her, doch das ist

6 C G C

ziem - lich schwer, vom vie - len Schluck-auf wird man näm-lich müd und matt.

Refrain

9 C G G7 C

„H“ Schluck - auf, bleib mir end-lich fern! „H“ Schluck - auf, hab dich gar nicht gern.

13 F G Dm G C *Fine*

„H“ Schluck - auf, hör doch end-lich auf, du nimmst mir ja den letz-„H“ -ten „H“ Schnauf!

17 C freies Hicksen F G C G

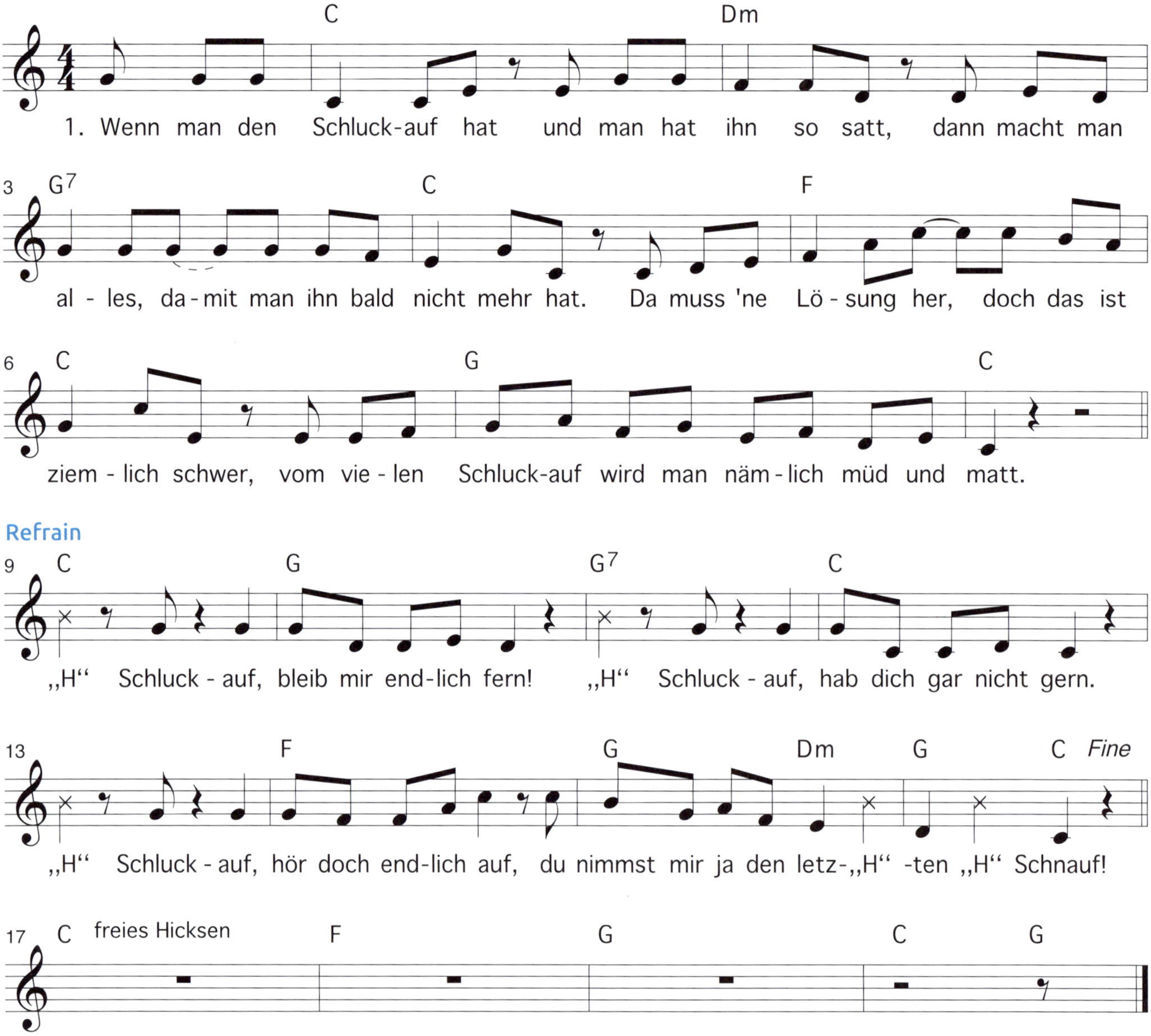

2 Ich trink ein ganzes Glas voll Wasser, ohne Spaß!
Doch weil das nützen soll, probier ich dies und das.
Ich mach den Kopfstand lange, hüpfe durch den Flur.
Ich schlucke drei Mal leer, doch bleibt der Schluckauf stur.

3 Nun hab ich endlich Ruh und mach die Augen zu.
Ich träum in meinem Bett: Der Schluckauf, der ist weg!
Ich wach am Morgen auf, streck mich genüsslich aus,
doch ach, herrje, mein Schluckauf tönt durchs ganze Haus!

Einstimmung: Das Zwerchfell wecken

So unangenehm der Schluckauf ist, so lustig klingt er für die anderen – besonders dann, wenn er sich beim Singen hineinschmuggelt: Bei den Kreuz-Notenköpfen hicksen die Kinder absichtlich, unterstützt von einem Guiro.
Dazu spüren sie beim Hicksen und beim Singen des Liedes mit den Händen im Bauchbereich, wie sich das Zwerchfell bewegt. Während eines Lieddurchgangs atmen die Kinder in den Pausen ganz bewusst und tief.

Gestalten beim Singen

Alle Strophen weisen einen dichten Text auf. Besondere Aufmerksamkeit gilt daher der Atemführung und Aussprache sowie dem Ausdruck.

> 1. Strophe: Die Vokale sind im Fokus, besonders jene an den Phrasenenden. Mit locker hängendem Kiefer und schlankem Kussmund singen.
> 2. Strophe: Die Zungenbeweglichkeit für die Konsonanten wird trainiert. Trotz deutlicher Aussprache bleibt der Mund schlank.
> 3. Strophe: Bis Takt 6 („genüsslich aus") langsam und legato singen, danach wieder im Tempo.

Begleitung

+ Guiro: Schluckauf-Akzente immer beim „H"

Mein Zimmer

Text und Musik: Béatrice Gründler

Strophen

35/36

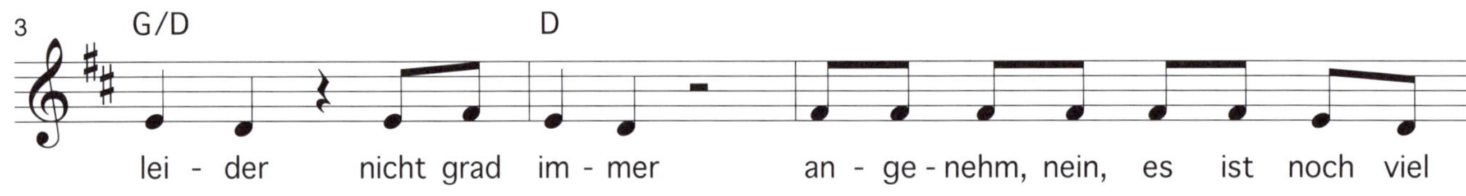

Refrain

2 Und der überquollne Abfallkübel,
der stinkt auch schon ziemlich übel.
Muss mit Kleidern da am Boden ringen,
ich versuch's mit sportlich Drüberspringen.

3 Hose, Socken, Sportsack, Reisetasche,
Bücher, Hefte, Colaflasche.
All das soll an seinen Platz verschwinden,
also muss ich mich nun überwinden.

4 Und schon sehe ich ein wenig Boden,
das macht Mut zum Weiterroden.
Finde plötzlich wieder meine Sachen,
hab nun deshalb wieder was zu lachen.

Einstimmung: Aufräumen ist so eine Sache

- Wie sieht das Zimmer der Kinder gerade in diesem Moment aus?
- Wie gehen sie beim Aufräumen jeweils vor? Was ist hilfreich, gibt es Tricks?
- Welches Kind hat eine besonders witzige persönliche Aufräumgeschichte zu erzählen?

Wir spielen Aufräumband

- Die Lehrperson liest den Liedtext im Sprechrhythmus vor. Die Kinder schnipsen im Off-Beat auf die Zählzeiten 2 und 4 und ergänzen jeweils die passenden Reimwörter (immer, schlimmer usw.). Alternative zum Schnipsen: auf den Handrücken patschen.
- Während die Lehrperson die Verse spricht, imitiert eine kleine Gruppe mit der Stimme ein Schlagzeug:

- Die Lehrperson singt darüber nun die weiteren Verse.

Gesamtaufführung mit Perkussionsinstrumenten

- Vier Gruppen erhalten je eine Strophe zugeteilt, die sie einüben und als kleines szenisches Theater ausgestalten. Dieses präsentieren sie im Rahmen einer Gesamtaufführung in der richtigen Reihenfolge der Strophen.
- Das Schlagzeugpattern wird nun mit Djembe dazu gespielt, gleichzeitig spielen die Maracas Achtelnoten im Metrum, was ein feines Zusammenspiel der Band erfordert.

Guten Appetit!

Text und Musik: Béatrice Gründler

37/38

C G C
Zum De - cken fürs Es - sen woll'n wir nicht ver - ges - sen: Ein

4 C Dm G7
Tel - ler schön mit - tig, die Ga - bel kommt links. Ein Mes - ser liegt rechts, ja, ge -

7 C F
nau so ge-lingt's. Ein Glas kommt beim Mes - ser ge - nau o - ben hin und

10 C G7 C F C
Was - ser hat's hof - fent - lich auch schon drin. Dann ist auf dem Tisch auch schon

13 G7 C F C G7 C
al - les be - reit, zum Es - sen ist jetzt grad die rich - ti - ge Zeit! Wir

16 F C G7 C F C G7 C
hal - ten die Hän - de, macht al - le mit: Wir wün - schen uns gu - ten Ap - pe - tit!

Einstimmung: Tischlein, deck dich!

Während die Kinder die Augen geschlossen halten, lässt die Lehrperson Teller, Gläser und Besteck erklingen. Die Kinder benennen danach die gehörten Klänge in der richtigen Reihenfolge.

- Auf einem Tisch liegen Besteck und Geschirr. Die Lehrperson liest den Liedtext im Rhythmus langsam vor und ein Kind deckt den Tisch gemäß den gehörten Anweisungen.
- Beim zweiten Mal positionieren alle Kinder pantomimisch ihr Gedeck.
- Die Lehrperson nennt nur noch die Wörter „Teller", „Gabel", „Messer" und „Glas", die richtigen Positionen sollen die Kinder aus der Erinnerung finden.
- Dann singt die Lehrperson das Lied, während alle wieder ihren fiktiven Tisch decken.

Sprechen, Dirigieren, Schmatzen

- Nun deckt die Lehrperson den Tisch. Die Kinder versuchen so viel wie möglich vom Liedtext dazu zu sprechen.
- Die Lehrperson singt jeweils zweitaktige Abschnitte vor, die Kinder singen sie nach und decken dazu pantomimisch den Tisch.
- Zwei Gruppen: Zum Singen dirigiert Gruppe A mit Gabel und Löffel im wiegenden 6/8 hin und her (siehe Bild oben), Gruppe B schlägt diese als perkussive Begleitung jeweils auf die Zählzeit 1 jedes Taktes zusammen.
- Das Lied kann auch auf Silben wie: „Ham ham ...", „m-zä-zä, m-zä-zä ...", „Schmapf mjam mjam ..." gesungen werden.

Am Strand im Sand

Text und Musik: Béatrice Gründler

Einstimmung: Rätsel

Die Lehrperson legt eine Muschel hinter den Rücken eines Kindes. Dieses ertastet und beschreibt das unbekannte Objekt. Anhand der Beschreibung erraten es die anderen Kinder. Die Lehrperson holt für alle eine Muschel oder einen Stein aus einem Kübel und legt die Gegenstände zum Ertasten hinter die Rücken der Kinder.
Wie ist die Form, das Gewicht, die Oberfläche? Jeder Gegenstand ist anders. Je zwei Kinder tauschen sich darüber aus und zeigen sich gegenseitig ihr Exemplar.

Mandala legen

Nun legen die Kinder alle bisher entdeckten und weitere Fundgegenstände auf einem Tuch zu einem Mandala: In der Mitte steht der Kübel, darum herum folgt beispielsweise ein Kreis mit Steinen, dann einer mit Muscheln.

Singen und spielen!

Die Lehrperson klopft im Metrum von Viertelnoten auf den Kübel, aus dem sie zuvor die Steine und Muscheln geholt hat, und erarbeitet mit den Kindern den Refrain.

- Die Kreuznoten im Refrain werden von Claves gespielt. Variante mit besonderen Rasseln: Dosen oder PET-Flaschen mit Sand befüllen.
- Die Passage „und er stinkt tatsächlich immer mehr" singen die Kinder mit zugekniffener Nase.
- Zum Singen stellt sich die Klasse im Kreis um das Mandala auf. Wenn es liegen bleiben kann, dürfen es die Kinder laufend mit Fundstücken von zu Hause oder aus dem Urlaub ergänzen.

Wenn ein Lichtlein brennt

Text und Musik: Béatrice Gründler

40

Einstimmung: Stimmungsvoller Start

Die Kinder schließen die Augen. Die Lehrperson löscht das Licht, zündet eine (LED-?)Kerze an und singt dazu das Lied oder spielt die Aufnahme (CD 40) ab. Nun dürfen die Kinder die Augen öffnen, entdecken die brennende Kerze und berichten, was sie sich vom Liedtext haben merken können.

Vom Phrasierungsbogen …

- Zum gespielten Lied gehen die Kinder im Metrum von halben Noten im Raum umher und singen dazu auf der Silbe „na" nach Gehör passende Töne.
- Die Phrasen des Liedes singen sie nun auf verschiedenen Vokalen legato und dann auch mit Text der Lehrperson nach. Dazu zeichnen sie mit dem Zeigefinger die jeweiligen Phrasierungsbögen in die Luft. Diese spannen sich in diesem Lied jeweils bis zum nächsten Komma oder Punkt im Liedtext (je 2 Takte).

… bis zum Lichtermeer

- Während die Lehrperson eine Kerze anzündet, singt sie die erste Phrase vor, die Kinder singen sie nach.
- Sie singt die zweite Phrase vor und zündet dazu eine zweite Kerze an, die Kinder singen nach. Erste und zweite Phrase zusammensetzen.
- Zur wiederholt gesungenen dritten Phrase zündet sie weitere Kerzen an, bis alle Kinder eine haben und damit singend im Raum umhergehen. Nun stellen alle ihre Kerze auf den Boden in einen Kreis und gehen händehaltend und singend um die Lichter herum.
- Zum Abschluss singt die Klasse das Lied in drei Gruppen als Kanon, zuerst stehend im Kreis, dann wieder gehend im Raum.
- Weitere Variante: Ein Kind mit einer Kerze führt eine Polonaise an.

Begleitpatterns

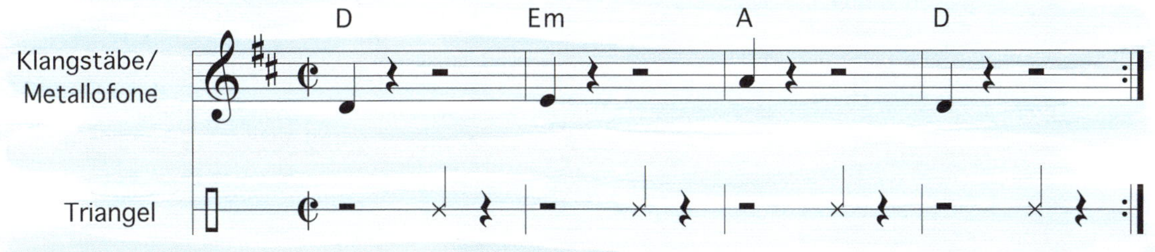

Anhang

Bodypercussion

Klatschen
Patschen auf Brust
Patschen auf Oberschenkel
Schnipsen
Stampfen
Arme abreiben

Handfassungen

Durchfassen: Eine Hand halten
Arme einhaken
Eingehakte Finger
Zeigefingerspitze an Zeigefingerspitze
Kreuzfassung
Arme auf Schulterhöhe strecken, Handinnenflächen gegeneinander
Arme auf Schultern (gegenüber oder nebeneinander)
Zwei Hände halten

Sozialformen

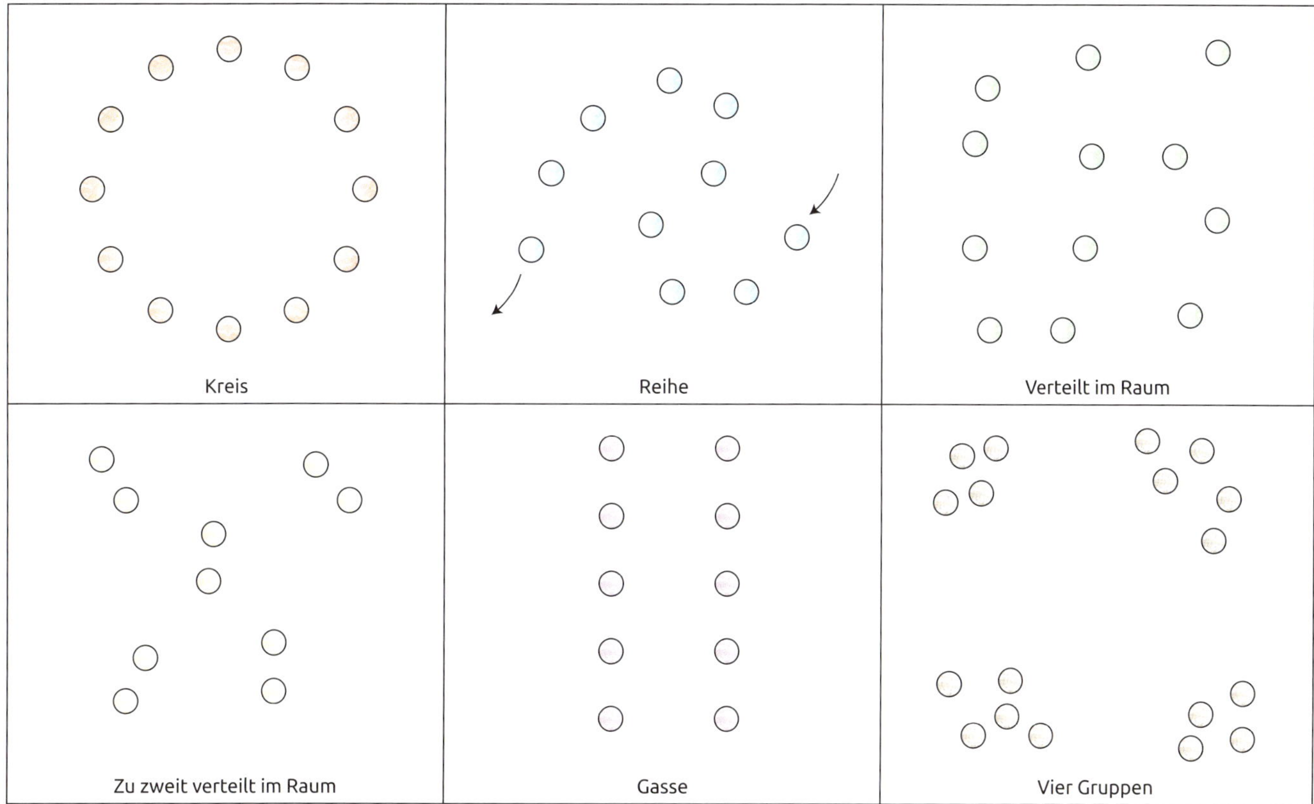

Gangarten

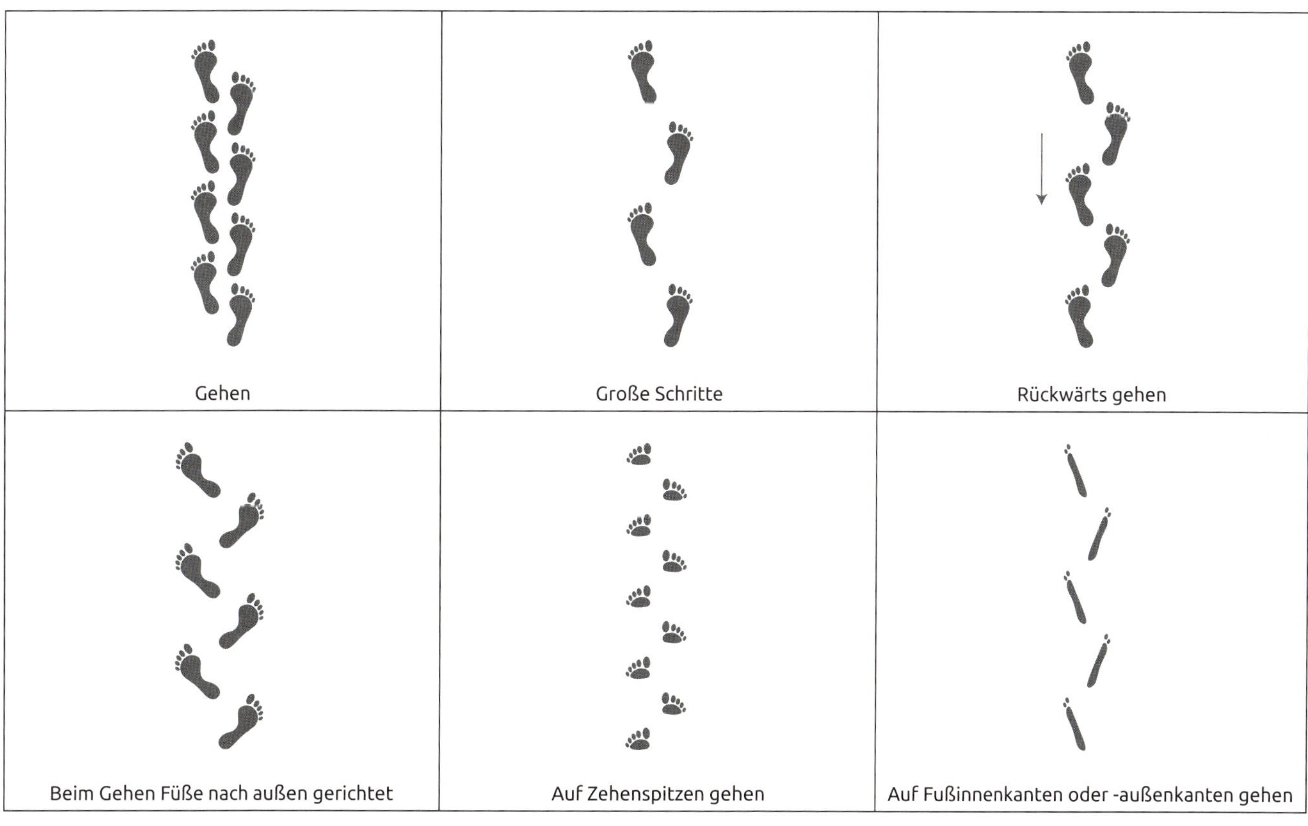

Spielweisen Instrumente

Bilder zum Lied „Instrumentenlied“ (Seite 28)

Schlossbewohner

Bilder zum Lied „Willkommen auf dem Schloss“ (Seite 36)

Drei Raben

Bilder zum Lied „Drei Raben“ (Seite 38)

Einsteigen bitte!

Bilder zum Lied „Einsteigen bitte!“ (Seite 40)

Liedtexte in Schweizer Mundart

Muntermacher, S. 4

A-Teil
Mir spitzed üsi Ohre
Mir strecked üsi Ärm
Mir schüttled üsi Finger
Ja, das mached mir so gärn
Mir klatsched und mir patsched
und mir schnippsed hinnedrii
Mir trülled zringelum und händ de Plausch debii

B-Teil
La la la ...

Wi-wa-wetsch? (Wa-we-willst du?), S. 6

1. Strophe/Variante
Wi-wa-wetsch mit mir cho tanze? Si-sa-säg mer's doch graduus! Jo!
Denn grüess ich dich ganz nett und füehr dich elegant ufs Parkett.

2. Strophe/Variante
Wi-wa-wetsch mit mir cho tanze? Si-sa-säg mer's doch graduus! Nei!
Ou, Päch, denn isch's verbi für dich, es wartet (Name) scho uf mich.

Refrain
Tralalalala ...!

Morgehit (Morgenhit), S. 12

Hallo, guete Tag! Schön, simmer da!
Sind denn üsri Händ/Finger/ Bei/Füess/Ärm würklich wach? Aber ja!
Si mached alli mit bi üsem Morgehit!

Eichhörnlitanz (Eichhörnchentanz), S. 18

A-Teil
Hüpf, hüpf, grosse Sprung: Ich ghör's vo witem här.
Los, los, was isch das? E Trummle, s isch nöd schwär.
Si lockt mich vom Baum is Gras, ich bin halt e Wundernas
und die Musig hät mi packt, tanz dezue exakt im Takt.

B-Teil
Hin und her zwei Site-Schritt, chömed ihr no mit?
Vüre denn und wider zrugg und denn mached mir e Brugg.
Unnedure, hopp, hopp, hopp! Und denn mached mir en Stopp!

Warm-up, S. 20

1. Vers Mit de Füess tupf, tupf
und denn grad en Lupf.

2. Vers Ribe, ribe, riibe
immer locker bliibe.

3. Vers Chlopfe, chlopfe, das tuet guet
und git Chraft und Muet.

4. Vers Schüttle, schüttle, weckt mi uf,
nime denn en Schnuuf.

5. Vers Winke, winke, no im Schtoo
und denn tuen ich wiitergoo.

6. Vers Jupeidi und jupeida,
jetz fangt's grad vo vorne aa!

Du bisch eimalig (So, wie du bist), S. 24

1. Strophe Mir gsend dich, wie du bisch: es Original!
Und du hesch ganz e bsunderigs Merkmal.
Es isch klar, dich git's eimal und niemer isch wie du!
Und drum singed mir für dich es „Schubidu!"

Refrain Bisch du gfitzt? Heb di Ohre mol gschpitzt!
Bisch du wach? Mach chli Krach!
Bisch du schlau? Ja, genau!
Bisch du fit? Tanz doch mit!
Beweg dich so, wie du bisch,
wie's grad passt und stimmig isch!

2. Strophe Mängisch füelsch di elei, mol schwach und schlapp.
Mängisch glingt's eifach nöd und de Muet haut ab.
Doch du schaffsch, was du willsch, und du bisch au
nid elei.
Blib nu dra und mir hälfed dir uf d'Bei.

Refrain

Was bin ich für es Tier? (Erratet das Tier), S. 26

A-Teil
Mir laufed dur de Urwald/Garte/Wald/Zoo, es grosses, spannends Riich.
Es hät do vili bsundri Tier und keis isch tupfgnau gliich.

B-Teil
Lueged mich mol aa. Was ich so alles cha!
So mach ich, jetz säged mir: Was bin ich für es Tier?

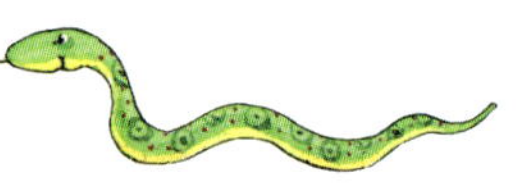

Instrumäntelied (Instrumentenlied), S. 28

Refrain
Mitenand töned mir ganz guet.
Es Spiele macht üs grosse Spass und Muet.
Im Orcheschter kunterbunt
üebed mir und denn lauft's rund.
Debii sii bedütet üs ganz viel.
Jedes tönt uf sini Art und hät sin Stil.

1. Strophe Mir blosed uf de Flöte:
„Tu-tu-tu! Tu-tu-tu-tu-tu-tu-tu!"
Und zäme gnüssed mir dä Ohreschmaus
und zum Schluss git's en grosse Applaus!

2. Strophe Mir singed hell und klar: „La-la-la! La-la-..."

3. Strophe Mir schlönd jetzt uf die Trummle: „Tam-tam-..."

4. Strophe Mir schüttled die Rassle: „Sch-sch-..."

5. Strophe Mir striiched uf de Giige: „Ja-ja-..."

6. Strophe Mir drucked uf d'Taschte: „Plim-plim-..."

Trommelbommel, S. 30

Mini Trummle spilt genau, wien ich will.
Luut und liislig und mängisch isch si still.
Wenn ich will, denn cha si au mol ganz schnäll sii,
und irgendwänn isch de Wirbelsturm verbi!
Langsam wie ne Schildchrott cha sis au.
Und jetz chunnt es Solo, ja, genau!
Losed mol dä Rhythmus und spiled nochher mit!
Sind ihr au so trommelbommelfit?

Rocky-Socky-Chor, S. 32

A-Teil
Mir sind de Rocky-Socky-Chor!
Mir singed öi jetz öppis vor!

B-Teil
Mir singed rassig unne ue und obenabe au
und mir träffed usi Tön au meischtens ganz genau.

A-Teil
Mir singed liislig und dezent,
und au mol luut und vehement.

B-Teil
Mir rocked mitenand im Chor
und denn sing ich es Solo vor. (Solo)

C-Teil
Jo, Singe macht üs Spass, drum sind mir alli voll debi:
Es isch läss, en Rocky-Socky z'sii!

Hokus pokus fidibus, S. 34

Refrain
Hokus pokus fidibus.
Dracheschuppe, Elfekuss.
Hokus pokus sim-sa-la-bim.
Was isch i mim Huet jetz drin? (2x)

„En Schläckstängel ..." (Kinder denken sich was aus)

1. Strophe Zaubere, das chan ich guet,
dodezue nimm ich min Huet
und min schöne Zauberstab.
Ringsum goht er, uf und ab.

2. Strophe Sterneschtaub und eins, zwei, drei,
fertig isch das goldig Ei.
Scho liits do i minre Hand,
ohni Vorhang, ohni Wand.

3. Strophe Chan vergolde und verwandle,
Schtei, die werded brännti Mandle.
Fädere chönd schnäll verschwinde,
Ring tüend sich im Nu verbinde.

4. Strophe Wenn ich mol chli Rueh ha will,
denn staht plötzlich alles still.
Wott ich aber mol en Krach,
chlöpft's und tätscht's, und all sind wach.

5. Strophe Was du gsehsch, das isch nu Schii,
s chan au öppis anders sii.
Wünsch dir öppis, glaub fescht draa,
und scho fangt de Zauber aa.

Willkomme uf em Schloss (Willkommen auf dem Schloss), S. 36

1. Strophe Ich bin König und regiere do i im grosse Schloss.
Ich sitz uf em schöne Thron und au gern hoch zu Ross. (2x)

2. Strophe Ich bi sini Frau, gestatte, Madame Königin.
Lueged mich mol a, me seit, dass ich di Schönschti bin! (2x)

3. Strophe Ich d'Prinzessin zart und fiin, han au e Chrone aa.
Mini Chleider sind us Samt, mit Silberfäde draa. (2x)

4. Strophe Ich bin chlii und unschiinbar: Wer chönt ich öppe sii?
Ich tuen choche, butze, rume, Diener, das bin ii! (2x)

5. Strophe Jetz chum ich, de Musikant, de ghört jo au dohii!
Ich spil Laute, singe schön für alli, Gross und Chlii! (2x)

6. Strophe Au de Hofnarr bruchts dezue, denn Lache, das tuet guet.
Späss und Witzli mach ich gern und schwenke denn min Huet. (2x)

Drei Gwaagge (Drei Raben), S. 38

1. Strophe

A-Teil
Drei Gwaagge hocked ganz verfrore uf em blutte Baum.
De einti macht jetz d'Auge zue und hät en schöne Traum

B-Teil
vo Summer und vo Wärmi und vo Fuetter, hüfewiis.
Doch pfiift en chalte Wind um ihn und s hät nu Schnee und Iis.

2. Strophe

A-Teil
De zweiti dänkt sich: „Was mach ich, damit ich nid verfrüür?
Ich legge warmi Stifel aa, lueg, dass is nid verlüür.

B-Teil
Bim Flüge isch das nid so liecht, si sind drum zimli schwär.
Und glaub mir, das gseht komisch us, will ich schwank hin und här!"

3. Strophe

A-Teil
De dritti dänkt nid gar so vil. Er hät de Schnabel voll
vo däre Chälti, und er findt das eifach nümme toll.

B-Teil
Er flüügt jetz inen Schopf do näbedraa und liit is Heu.
Me gseht en nüme uf em Baum, drum sind's det nu no zwei!

Hizgi o je! (Schluckauf, oh weh!), S. 42

1. Strophe We me de Hizgi het und me ne nüme wett,
denn macht me alles, dass me ihn gli nüme hät.
Me hät en eifach satt, denn das isch gar nid glatt,
vom vile Hizge wird me jo ganz müed und matt.

Refrain „H" – Hizgi, blib mer endlich fern!
„H" – Hizgi, ha di gar nöd gärn.
„H" – Hizgi, hör doch bitte uf,
du nimmsch mer jo de gan- „H" -zi „H" Schnuuf!

2. Strophe Ich trink es ganzes Glas voll Wasser, ohni Spass!
Doch will das nütze sött, probier ich dies und das.
Ich mach de Chopfstand lang, ich hüpfe dur de Gang.
Ich schlucke drü Mol läär, doch bliibt de Hizgidrang!

Refrain

3. Strophe Doch endlich han i Rue und mache d'Auge zue.
Ich träume i mim Bett, dass ich kein Hizgi hett!
Ich wach am Morge uf und nim en tüfe Schnuuf,
doch lueg au da, de Hizgi han i wieder druf!

I mim Zimmer (Mein Zimmer), S. 44

1. Strophe
I mim grosse, wunderschöne Zimmer
isch es leider nöd grad immer
gmüetlich, nei, s'isch ebe no vil schlimmer:
Chume würkli nüme dur mis Zimmer!

Refrain
Also nei!
Das isch doch e Schweinerei!
Ach, herrje!
Ich find eifach gar nüt me!

2. Strophe
Und de überquollni Güderchübel,
de stinkt au scho zimli übel.
Fötzli, Chäuzgi und en Schnuderlumpe:
Ich tuen eifach sportlich drübergumpe.

Refrain

3. Strophe
Drum hol ich en ganz en tüfe Schnuuf
und rum do mol bizli uuf:
Pischi, Hose, Socke, Tschuttitäsche,
Büecher, Heftli, Guezli, Cocifläsche!

Refrain

4. Strophe
Und scho gsehni wieder me vom Bode,
das macht Muet zum Wiiterrode.
S lugget und es wohlet immer meh:
Was ich han, das chan i wieder gseh!

Coda
Ich han Freud, dass wieder so schön ufgrumt isch:
De Bode, es Bett, de Chaschte und de Tisch!

En Guete! (Guten Appetit!), S. 46

Zum Tische fürs Ässe
wänd mir nid vergässe:

En Teller i d'Mitti und d'Gable chunt links.
Es Messer liit rechts, ja, genau eso glingt's.

Es Glas stoht bim Messer, det grad obedra
und s Trinke dezue wämmer au no gern ha.

Wenn alles so schön uf em Tisch stoht und liit,
denn isch das zum Esse di richtigi Ziit!

Mir lueged üs a, gend all enand d'Hand
und wünsched „en Guete mitenand!"

Am Strand im Sand, S. 48

Refrain
Ich nim min Chessel und ich goh an Strand
und finde det im Sand so allerhand.

1. Strophe
Muschle; gäli, roti, gstreift und tupft.
Han en tonneschwäre Schtei ufglupft.
Find au Glitzerstei, s isch keine gliich,
schöni Exemplar, ich bin steiriich!

Refrain

2. Strophe
Mit de Schufle tuen i fliissig grabe,
chume dodebi au ganz wiit abe.
Seestern, Schnägge, Chräbse und no meh
Han ich do im seichte Wasser gseh.

Refrain

3. Strophe
Underdesse isch de Chessel voll,
trägen hei und find min Fund ganz toll.
Spöter mach ich mol de Deckel uuf
und s verschloht mer würkli fascht de Schnuuf!

Wenn es Liechtli brennt (Wenn ein Lichtlein brennt), S. 50

Wenn es Liechtli brennt, denn wird's es bizli heller.
Wenn du und ich es Liecht anzünded, vertriibed mir die Dunkelheit.
Wenn vili Lichter brenned, so wird's denn hell und warm.

Zu den Liedern „Ohrenspitzer", „Du und ich", „Das Spiel mit dem Hut", „Fit-Hit", „Gib mir mal den Becher" und „Einsteigen bitte!" existieren keine Liedtexte in Schweizer Mundart.

Zusätzlich erhältlich

Ohrenspitzer und Muntermacher

Die Lieder-CD

- Liebevoll produzierte Gesamtaufnahmen zu allen Liedern, ausdrucksstark und charakteristisch passend
- Playbacks zu den meisten Liedern

S8844CD
ISBN 978-3-99069-147-2
ISMN 979-0-50276-263-6

Trackliste

Nr.	Titel	Zeit
1	Muntermacher	1:18
2	Muntermacher (Playback)	1:17
3	Wa-we-willst du?	1:26
4	Wa-we-willst du? (Playback)	1:25
5	Ohrenspitzer	1:37
6	Ohrenspitzer (Playback)	1:37
7	Du und ich	0:48
8	Du und ich (Playback)	0:48
9	Morgenhit	1:23
10	Das Spiel mit dem Hut	1:45
11	Das Spiel mit dem Hut (Playback)	1:45
12	Fit-Hit	1:38
13	Eichhörnchentanz	2:00
14	Warm-up	2:10
15	Warm-up (Playback)	2:09
16	Gib mir mal den Becher	1:27
17	Gib mir mal den Becher (Playback)	1:28
18	So, wie du bist	1:53
19	Erratet ihr das Tier?	1:36
20	Erratet ihr das Tier? (Playback)	1:36

Nr.	Titel	Zeit
21	Instrumentenlied	3:17
22	Trommelbommel	0:58
23	Trommelbommel (Playback)	0:58
24	Rocky-Socky-Chor	1:48
25	Rocky-Socky-Chor (Playback)	1:48
26	Hokus pokus fidibus	3:26
27	Willkommen auf dem Schloss	2:38
28	Willkommen auf dem Schloss (Playback)	2:39
29	Drei Raben	1:53
30	Drei Raben (Playback)	1:54
31	Einsteigen bitte!	1:47
32	Einsteigen bitte! (Playback)	1:47
33	Schluckauf, oh weh!	2:14
34	Schluckauf, oh weh! (Playback)	2:14
35	Mein Zimmer	2:10
36	Mein Zimmer (Playback)	2:10
37	Guten Appetit!	1:22
38	Guten Appetit! (Playback)	1:21
39	Am Strand im Sand	2:09
40	Wenn ein Lichtlein brennt	1:31

CD erhältlich im guten Fachhandel oder unter:
www.helbling.com